U0217385

國家古籍整理出版專項經費資助項目

栖芬室

栖芬室藏中醫典籍精選·第三輯

脉微　繡像翻症　醫略正誤概論

【明】施沛　撰/【清】佚名　著/【明】李象　撰
中國中醫科學院中醫藥信息研究所組織編纂
牛亞華◎主編　孟慶雲/孟慶雲/牛亞華◎提要

北京科學技術出版社

圖書在版編目（CIP）數據

栖芬室藏中醫典籍精選·第三輯．脉微　繡像翻症　醫略正誤概論/牛亞華主編．—北京：北京科學技術出版社，2018.1

ISBN 978－7－5304－9246－8

Ⅰ．①栖…　Ⅱ．①牛…　Ⅲ．①中國醫藥學—古籍—匯編　Ⅳ．①R2-52

中國版本圖書館 CIP 數據核字（2017）第213665號

栖芬室藏中醫典籍精選·第三輯．脉微　繡像翻症　醫略正誤概論

主　　編： 牛亞華
策劃編輯： 章　健　侍　偉　白世敬
責任編輯： 楊朝暉　周　珊
責任印製： 張　良
出 版 人： 曾慶宇
出版發行： 北京科學技術出版社
社　　址： 北京西直門南大街16號
郵政編碼： 100035
電話傳真： 0086-10-66135495（總編室）
0086-10-66113227（發行部）　0086-10-66161952（發行部傳真）
電子信箱： bjkj@bjkjpress.com
網　　址： www.bkydw.cn
經　　銷： 新華書店
印　　刷： 虎彩印藝股份有限公司
開　　本： 787mm×1092mm　1/16
字　　數： 336千字
印　　張： 28.75
版　　次： 2018年1月第1版
印　　次： 2018年1月第1次印刷
ISBN 978－7－5304－9246－8/R·2414

定　　價： **750.00元**

《栖芬室藏中醫典籍精選》編纂委員會

前言

范行準先生是中國醫史文獻研究的開拓者之一，其成就之巨大，至今難以逾越；他也是著名藏書家，其栖芬室以收藏中醫古籍聞名於世。與一般藏書家不同的是，范行準先生搜求醫籍的初衷并非只爲藏書，而是爲開展醫史研究收集資料，因此，他的藏書除注重醫籍的版本價值外，更重視文獻的稀缺性和學術性。他説：『予之購書，善本固所願求，但應用與希覯孤本，尤亟於善本也。』足見他對購求孤本和稀見本比善本更爲迫切。他的藏書不僅有元明善本，還有大量的孤本、稀見本、稿抄本，這更是其藏書的一大特色；他還特别注重圍繞某個專題進行搜集，如爲了研究中國免疫學史，他搜集了大量疫病、痘疹和牛痘接種的相關文獻；他在本草、成藥方、中西匯通醫書的收藏方面，亦有獨到之處。

長期以來，研究者一直期望將栖芬室藏中醫古籍珍本系統整理，影印出版。在國家古籍整理出版專項經費的資助下，我們已甄選栖芬室藏元明善本、稿抄本以及最具特色的『熟藥方』，并加以編輯整理，邀請專家撰寫提要，且分别於二〇一六和二〇一七年相繼影印出版了栖芬室藏中醫典籍精選第一輯和第二輯，受到學界歡迎。上述兩輯出版的著作，僅爲栖芬室藏書的一部分，除此之外尚有許多醫籍值得醫界研究和利用。此次我們又獲得了國家古籍整理出版專項經費的資助，選取了十餘種明清孤本、善本和有實用價值的醫籍影印出版，是爲栖芬室藏中醫典籍精選第三輯。

作爲『栖芬室藏中醫典籍精選』項目的收官之作，本輯在書目的選擇上尤難決斷，栖芬室所藏珍本甚多，内容廣泛，難免顧此失彼。我們希望所選書目既能兼顧臨床實用與文獻價值，又能體現栖芬室藏書的特色和范行準先生的藏書理念。

基於上述考慮，本輯入選書目大多臨床實用與文獻價值兼具。如醫略正誤概論是少見的針砭時弊的作品，該書十分注重常見病尤其是熱證的鑒别診斷，是關於熱證最全面的論著。女醫雜言是罕見的女性醫家的著作，也是較早的醫案著作，所記案例均爲女性病人，内容細緻入微。衆妙仙方是明代官吏馮時可在廣西爲官時，發現當地缺醫少藥，迷信巫術，爲改變這種狀況而作，收方切合實用。新編名方類證醫書大全、慈惠小編、脉微等均具有較高的臨床價值。

在版本和文獻價值方面，本輯所收有不少爲海内外孤本，如上述的醫略正誤概論、女醫雜言、慈惠小編及秘傳常山敬齋楊先生針灸全書等爲天壤間僅存之碩果，且其中一些還入選了國家珍貴古籍名録，其版本和文獻價值自不待言。有些入選醫書雖然現存不止一種版本，但也獨具特色。如衆妙仙方，現存三種版本，本次所選爲萬曆刊本，印刷年代雖在三種版本中最晚，但經比對發現，該版本與其他兩種版本有較大差异，應是其初刊本的翻刻本，反映了該書最初的狀態，對研究該書版本及修訂演進有重要價值。再如醫説，版本衆多，民國至今，我國已出版的影印本多達二十餘種，但是，這些影印本所據底本僅宋刊本、四庫全書本和顧定芳本三種。本次選用的張堯德刻本，經籍訪古志補遺評價其爲『依顧定芳本而改行款字數者，然比之顧本，仍能存宋本之舊』。該版本序、跋最全，存本亦少，對於考察醫説的版本源流以及校勘均有重要價值。

栖芬室藏書中，有不少和刻本中醫典籍，本次選編的熊宗立新編名方類證醫書大全爲這類書的代表，該書刊刻於日本大永八年（一五二八），是目前已知的日本翻刻的第一部中國醫籍，也是日本博多本的代表作，本身具有很高的版本價值。其底本是明成化三年（一四六七）熊氏種德堂刻本，翻刻本連原刻本的牌記都原樣照刻，而原刻本國内已無存。有學者曾將該翻刻本與日本藏明成化三年原刻本對比，認爲二者的版式、行款俱同，從該和刻本還可以窺見原刻本之面貌。該和刻本後有日本著名學者幻雲壽柱的校勘記，這是中日醫學交流的重要見證。

范行準先生因明季西洋傳入之醫學一書蜚聲學界，其藏書中亦不乏中西匯通著作，如徹賸八編·内鏡收載了一些西方傳入的解剖生理學知識，是現在所知最早的中西匯通醫書，國内僅兩家圖書館有藏，亦屬珍貴。近年來，該書引起學界關注，屢被引用，但對其系統的研究工作還有待開展。

栖芬室藏書中，還有一些醫學學術價值雖然不高，但却能據以了解醫學在市井平民間傳播方式的普及性書籍，繡像翻症即屬此類。關於該書，范行準先生曾在栖芬室架書目録按曰：『「翻症」之自來未聞，嘗殫思不得其解，頃重整書目，又觸及此書，忽悟「翻」乃「番」之借字，諸言霍亂由外番傳入，故亦稱「番痧」。而因患者嘔吐猝倒，北方稱爲翻倒，因有「翻症」之稱。』該書後附售賣各種成藥的名單，因而范行準先生『疑亦當時藥肆宣傳品』。書中用動物和人的形象表示疾病的症狀，如『烏鴉狗翻症』上方繪一鴉一狗，下方繪一跌倒地上、口吐穢物的病人。文字則書寫症狀、治法，形象生動。中國中醫古籍總目收載有該書的三種版本，最早爲同治年間刊本，本次影印者爲更早的咸豐元年文林堂刻本，爲中國中醫古籍總目所漏載。

在第一輯的前言中，我們已對范行準先生和栖芬室藏書做了介紹，但是在本項目即將完成之際，仍情不自禁感念先賢保存中醫古籍的豐功偉業。范行準先生出身貧寒農家，本是放牛娃，斷續讀過兩年小學，靠自學考入上海國醫學院，在師友接濟下才得以完成學業。寒門子弟，本應與藏書家的名號無緣。但是，范行準先生對醫史文獻研究産生了濃厚興趣，爲此他開始搜求醫籍，以供學術研究之用。抗日戰爭爆發後，珍貴圖書散落市井，他又『念典章之覆没，感文獻之無徵』，終日流連於書肆冷攤，節衣縮食，不惜典當借貸，購買醫籍，竟憑一己之力，使大量珍貴醫籍免遭兵燹之厄，存留至今，爲我們所用。

范行準先生是公認的藏書家，但他却不願以此自詡，他説：『有人曾經稱我爲藏書家，老實説我是不太喜歡這個詞的，我認爲「書」是供人閱覽和參考，而决不是讓人來觀賞的，否則無論多麼珍貴的書都會成爲一堆毫無價值的廢紙。』中國傳統的藏書家往往將自家藏書作爲案頭的清供與把玩件，不輕易示人，但范行準先生則視『書物爲天下公器』，在自己頭腦尚清醒之時，即將栖芬室藏中醫典籍悉數獻出。這些藏書不僅價值連城，而且耗費了他畢生心血，亦讓他在感情上難以割捨。他説：『這些書籍跟隨了我三十餘年，它們和我朝夕相處，是我的良師益友，我也把它們當作自己的孩子來愛護，現在讓我一下子離開它們，我心中自然是异常地難捨難分，但是在我有生之年能够看到我酷愛的書籍將爲整個社會、整個中醫事業做更大的貢獻時，我感到無限的幸福和光榮。』

『爲整個社會、整個中醫事業做更大的貢獻』是范行準先生生前的崇高願望，栖芬室藏中醫典籍精選的整理出版，正是以實際行動繼承范行準先生的遺志，以期爲發展中醫藥事業貢獻力量。

栖芬室藏中醫典籍精選總計三輯，它能够順利出版，有賴國家古籍整理出版專項經費的資助，中國中醫科學院中醫藥信息研究所領導和各位專家的支持，以及古籍研究室同事和北京科學技術出版社編輯的辛勤工作。在此一并致謝！

牛亞華

二〇一七年十一月九日於中國中醫科學院

目　録

栖芬室藏中醫典籍精選·第三輯

脉微

提要　孟慶雲

内容提要

脉微又名脉要精微，二卷，是范行準先生栖芬室藏中醫典籍精選第三輯之一。現爲孤本，藏於中國中醫科學院圖書館。存本無書衣，也無書名頁。從卷端冠詞知，該書爲華亭施沛纂述，未記刻書者。從施沛的『脉微小序』，知書序完成於明崇禎己卯年（一六三九）。

施沛，字沛然，號笠澤、笠澤居士，其堂名笠澤草堂。晚年從道家，道號沛然子、元元子。華亭古稱雲間，後稱松江，上海設縣後屬上海縣。上海縣志載他『天啓初，以貢除河南廉州通判，調罷欽州。議時務十二條，語多切中。著内外景靈蘭集』。其在修素問逸篇自序云『時爲南京國子監學士』，并云：『沛反覆内經·靈樞，以乞倉、扁、仲景、叔和諸書。此參彼證，沉酣四十餘年。今識見頗定，始敢祖述，纂成脉書。』可知他幼從儒學，入國子監時又攻讀醫書；曾任通判等職，之後行醫、著書，後又從道。喻嘉言的寓意草中記載，施沛與喻嘉言曾共同診治楊季蘅的病。醫宗必讀記李中梓診一燥屎證，用大承氣湯，病家惶懼。李中梓説，在吾郡能辨出此證者，惟施笠澤耳。後請來施笠澤，二人的辨證處方，若合符節。遂下之而愈。正是名醫所見略同。由此可知，這位施沛笠澤，是明末上海縣一帶，與喻嘉言、李中梓同時期且互有交誼的名醫。據他有沛然子、元元子、笠澤居士等名號，以及本書在考訂紫虚脉訣上的功底，可推知他退官從醫後，學向道家了。施沛醫學著述甚多。他曾將其輯編爲全集靈蘭集，此書崇禎朝梓刻，初集有素問遺篇、臟腑指掌圖、經穴指掌圖、脉微、醫醫、説療，二集有宋徽宗聖濟經、産經、痘疹折衷、祖劑、云起堂診籍。

脉微是一部系統講解脉學理論及切脉方法的醫書。以切脉診斷辨證爲核心，并將其發展爲一門獨立的診斷學科，是中醫學術的專長。在近年出土的先於黄帝内經的醫書中，關於脉和脉搏的記載非常深瞻。在馬王堆漢墓出土的古醫書中，就有足臂十一脉灸經、陰陽十一脉灸經、脉法和陰陽脉死候等論脉及切脉的書。脉法中還有三聯律脉的描述。黄帝内經中有多篇記述了經脉，且這些篇中記載經脉的條數有四條、五條、六條、九條、十條、十一條、十二條之不同，這是不同時期、不同醫者見解不同的緣故。十二經聯接以前，經脉各經爲一組疾病病證的不同分類。後來十二經各經聯接而循行，構成一個經絡體系。此外，黄帝内經中還有遍診法、三部九候診法和『寸口獨爲五臟主』，以及四時脉、真臟脉、南北政脉和多種脉象。黄帝内經已經把脉診作爲診病和預測死候的主要依據。漢張仲景以切脉爲『效象形容』，其『平脉辨證』把脉置於證候之前，采用寸口、人迎、趺陽三部脉法。其後魏晋間王叔和著脉經，詳載了以前諸種脉法，并以『獨取寸口』統一了切脉法式。脉經主病之脉應二十四節氣爲二十四脉，此後歷代醫家雖有多種增益和解讀，如李時珍瀕湖脉學二十七部脉、李中梓内經知要二十八部脉、本書二十九部脉，但脉理仍以脉經爲基準。

自脉經以後，脉法之學已成爲一個體系，論脉理、講脉法、傳授口訣之書甚多。如六朝人高陽生所著脉訣，又名王叔和脉訣，采用歌訣體例，便於記誦。王叔和脉經七萬餘字，而脉訣僅六千餘字，有簡而易記之優點，以致『脉訣出而脉經隱』。但脉訣不僅内容體例與王叔和脉經有别，而且脉象的描述也不符合脉經脉理，以致宋代三因極一病證方論以後多有所撥亂反正。本書在首論之前，特引用閔承詔脉經脉訣辨誤，以掃脉訣之謬。如高陽生脉訣所言滑脉有浮無沉、澀脉有沉全無浮、芤脉兩頭即有中間全無等均是錯誤的。又如脉訣指出叔和言動脉爲陽，弦脉爲陰，而脉訣則言動脉爲陰脉，弦脉爲陽脉。

本書特點有以下三個。

特點之一是對脉法脉理的解讀深而透徹。以陰陽離合之理分配寸口之六位，以一脉分九道講解三部九候的來源。雖以脉經爲骨，却引（内）經斷義，叙述簡明。又以浮沉遲數爲諸脉之綱，綱舉目張。又論述『獨取寸口』之理在於五臟六腑之味皆出於胃，變見於寸口，寸口爲脉之大會及機在全息之理。同時也附解了黄帝内經他篇中未解之文，如素問·刺禁論中『鬲肓之上，中有父母』句，本書論爲『左寸太陽，右寸太陰，太陽爲父，太陰爲母』。他論説急症時候寸口、趺陽、太溪的原因是此三處能候胃氣、元氣。

特點之二是展示了道醫脉法。道醫脉法，不只是切脉以診五臟六腑，還可診見二十一經脉（十二經加上陽蹻脉、陰蹻脉、陽维脉、陰維脉、陽絡脉、陰絡脉、衝脉、督脉、任脉）以至預見病情。道醫脉法，診治一體，從二十一經脉引出選穴與治法。

特點之三是重實用著作。本書病脉脉象，比李中梓之二十八部脉又多一小脉，爲二十九脉。書中載兩部實用的脉法口訣，即考定崔紫虚脉訣（即崔嘉彦崔真人脉訣）和丹溪評脉。這是兩部最實用的脉法歌訣著作。本書講述的婦人脉法、小兒脉法、老少脉异、怪脉等皆簡明扼要，易學易用。其所附之七種圖像，有冀圖以求，累言盡解之功。

本書作者，受之异人，頗臻妙境，其書足可爲脉之大要者也。

孟慶雲

脉微小序

内經曰。微妙在脉。不可不察。曰至數之要。迫近以微。曰至道在微。變化無窮。脉之理洵微矣哉。昔在西晉有王叔和氏。謂脉理精微。其体難辨。醫藥為用。性命所繫。迺集岐伏以來。諸家經論要訣。撰成脈經。垂法來禩。仁人之功。其利普矣。迨晉室東渡。天下多事。性命之理。寖末脈。及其後。漸視醫為小道。薦紳先生罕言之。遂致精微之業。付彼庸淺。雖有脈經。昧不能讀。之不能解。之不能明。於是高陽生之脉訣。反滑以鄙俚行。脉訣行而脉經隱。脉經隱而脉理晦。緣此醫道日卑。矣積時有。余不獲已。就脉經中。摘其簡要明切者。各標名目。以類相從。冠以靈素。附之衆説。俾微者著。

脈者明。隱者見。敢曰至數在是。聊為導塗者之指南云爾。

崇禎己卯夏六月朔旦華亭施沛書於笠澤草堂

笠澤居士

脉要精微

凡例

一業醫以診脉爲首務。自軒岐以下。叔和而上。皆論其精微。第靈素深奥。而諸家之說。又各有異同。學者每苦望洋。是編雖本脉經。然引經斷義。必期簡明。故于經義有難測者。即伸以名家直說。間附一得之愚。俾讀者展卷燎然。惟于脉象主病。聊括駢語以便初學。

一寸口爲脉之大會。凡三部九候氣口人迎。悉診于是藏府陰陽各分表裏俱有一定之位軒岐以來莫之能易故帝曰氣口何以獨爲五藏主伯曰氣口亦太陰也是以五藏六府之氣味皆出于胃變見于氣口後人不察經旨妄謂獨取寸口起于扁鵲何也素問雖有三部九候論原名決死生論蓋欲行鍼者先捫循三部九候之動脉確知虛邪入客何經詳審其血氣之盛衰以施補瀉非古人于十二經動脉中各行診法也是編一執于正悉屏異説

一診脈之法自古迄今獨取寸口此外惟有趺陽太谿危病診之以候胃氣元氣世有妄執三部九候之說而欲分診于頭面手足者又有執足陽明動脈而欲診人迎于結喉兩傍者又有執尺內以候腹中一語而欲診大小腸于兩尺者奇說異端最易惑世余于脈書辯之詳矣茲編簡畧不能殫述

一人身如小天地左寸太陽右寸太陰太陽為父太陰為母故曰膈肓之上中有父母上附上左外以候心內以候膻中此素問語也膻中者心主之宮

城此靈樞語也。左手寸口陽絕者，無小腸脈也。刺手心主經治陰。左手寸口人迎以前陰實者，手厥陰經也。此脈經語也。則心與手心主小腸之脈，俱候于左寸明矣。而脈訣之手心主脈，則診之右尺。近世又有以小腸脈診于左尺者，不幾大謬經旨乎。如此異說，是編悉為論定。

一醫門習業者，僅讀難經、脈訣、藥性、病機，以為道在是矣。不知脈訣乃高陽生妄作，假托叔和以行。實與脈經大謬，悮人不淺。諺有學醫人費之語，職此之故歟。

一難經者，扁鵲取靈素要語，設爲問難，開示來學，無子瞻謂醫之有難經，句句皆理，字字皆法。今坊間乃以難經與脉訣並行，使薰蕕共器，良可浩歎。

一陰陽離合，分配六位，及一脉分爲九道，二圖余實授之異人，心領神會，援筆圖之，頗臻妙境，覽者細加詳玩，當自得之。脉之大要，無出乎此。

一浮沉遲數四脉，可爲諸脉綱領，余列爲四圖，統貫各脉，詳註形象，庶爲初學指南。

一丹溪手鏡圖乃朱氏家傳秘本近爲義烏令㒷公所出得行于世其評脉數語甚爲扼要故并識之

一崔紫虛四言脉要統括經旨最便初學誦習復經李月池删補余于簡首畧更數語不失原文

凡例畢

脉經脉訣辯誤

閔承詔謹

脉經作於西晉王叔和其書分别人脉合二十有四種寫難狀之形如在眉睫決受病之原直洞底裏使人人了然于心了然于手可謂至慈憫至精妙矣顧其文字簡奧彷彿秦漢而上後之淺醫與其書而不能句又烏能析其原委解其文字使病根脉狀洞如觀火而起天下之疲癃殘疾也哉高陽生祖其意作脉訣爲五七言韻語便初學誦讀意非不善第高陽所誤括多有與脉經相謬戾者夫叔和以數字狀一

脈。非此字則此脈不能狀。醫人亦不能曉。而高陽另以他字易而狀之。能更明且顯於叔和乎。其狀滑脈曰。指下尋之。三關如珠動。按之即伏。不進不退。夫脈經曰。脈來沉滑如石。腎脈也。是滑脈有沉矣。而訣言按之即伏。則有浮而無沉矣。又言不進不退。是脈不往來。不前卻而定矣。豈不謬乎。訣狀澀脈曰。指下尋之似有。舉之全無。是澀但有沉而無浮也。夫經曰。浮而短澀者。肺也。則澀脈有浮明矣。豈不謬乎。經曰。芤脈按之中央空。兩邊實。訣曰。兩頭即有。中間全無。夫尺脉上不至關爲陰絶寸脉下不至關爲陽絶若兩頭卽有中間全無則是陰陽絶脉也安得爲芤脉乎經曰浮則爲陽芤則爲陰而脉訣以芤爲七表之陽可乎又叔和辨脉陰陽大法以動爲陽脉訣以動爲陰叔和以弦爲陰脉訣以弦爲陽脉經第十卷曰氣口之中陰陽交會中有五部前後左右各有所主上下中央分爲九道而脉訣以一長二短三虚四促五結六代七牢八動九細爲九道諸如此類毫厘千里難以枚舉流傳至今家傳戸習害可勝道夫脉經自

脈要精微

宋熙寧中神宗有旨出内府所藏古醫經方書命光祿卿林億等典領校讎鏤板行世哲宗紹聖三年奏改小字本刻之國子監以便買者至寧宗嘉定初長樂陳孔碩借得醫局本與閣本參訂互考刻之廣西漕司嘉定十年濠梁何大任有家藏小字監本正其誤千有餘字刻于本局屢經兵燹板復不存元泰定四年醫學教授廬陵謝縉翁刊置龍興路學宮

皇明成化十年曲陽尹畢玉廷璽氏于吳佑冊中乞歸手錄梓於淮陽據余所見已屢刊矣而世猶廢經

而尊訣蓋脉經十卷九十七篇總七萬餘言脉訣五七言韻語僅六千餘言世取其便誦舍難就易醫者不讀鬻者不售書遂不行詢及王氏脉經盡誦脉訣以對朱晦翁陳孔碩所謂脉訣出而脉經隱正謂此也夫醫以寄死生即憚其難何不改而習他道而以人之死生爲試也

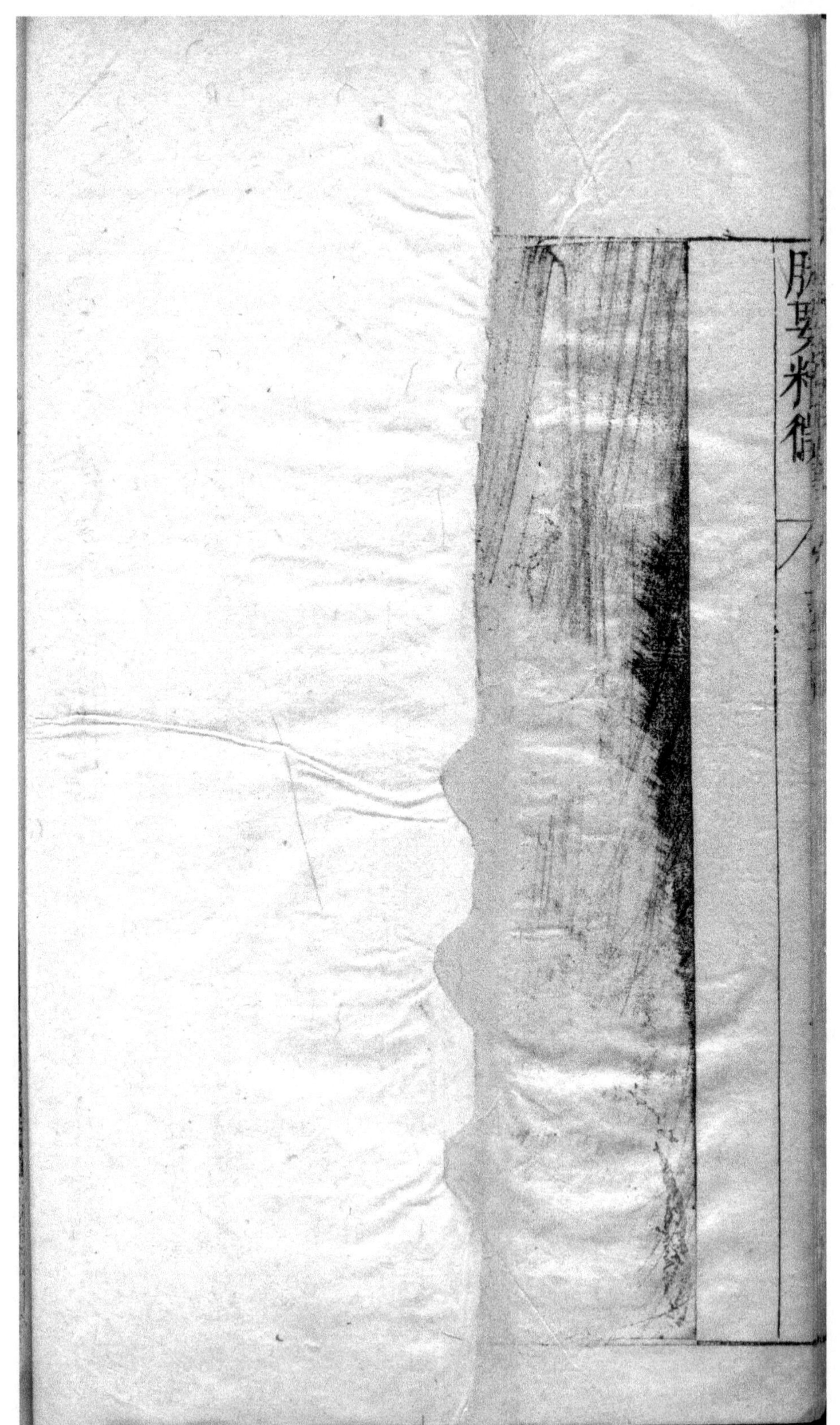

脉微目録

卷之上

脉要精微　八

卷之下

帶脉主病　陰蹻主病

陽維主病　陰維主病

陽絡主病　陰絡主病

附衝督二脉　任脉

脉徵目錄終

脉微卷之上

華亭施　沛沛然父纂述

脉微總說

晉太醫令王叔和集岐扁以來諸名家經論要訣合成十卷名曰脉經此誠診家萬世不易之準繩也至六朝時有高陽生者剽竊經意作爲歌訣亦托叔和之名以行實與脉經大相剌謬因辭義鄙淺俗學便之遂使脉訣行而脉經隱不惟脉理晦蝕且使部位更移遺害匪淺沛反覆内經靈樞以迄倉扁仲景叔

和諸書此參彼證沈酣四十餘年今識見頗定始敢祖述軒岐之旨纂成脉書然其書浩瀚難于記誦故復撮其要畧約爲是編以眎初學俾步趨不謬若欲登軒岐之堂入倉扁之室必須仰鑽靈素卓有定見庶不爲邪說所惑所謂神而明之存乎其人也

脉資始于先天元氣

黄帝曰人始生先成精精成而腦髓生骨爲幹脉爲營筋爲剛肉爲墻皮膚堅而毛髮長穀入于胃脉道已通血氣乃行故華元化曰脉者血氣之先也出靈樞經脉篇

文子曰。精氣爲人。人受天地變化而生。一月而膏。初形骸如膏脂。二月而脉。漸生筋脉。三月而胚。胚肢也。三月如水龍壯也。四月而胎。如水中蝦蟆之胎。五月而筋。氣積而成筋。六月成骨。血化肉肉化脂脂化骨。七月成形。四肢九竅成。八月而動。動作。九月而躁。動數如前。十月而生。形骸乃成。五藏乃形。

潘西泉曰。醫者察病之際。莫不先觀脉之治亂。以决人之死生。豈知老于醫者。猶不知脉爲何物。有以營衛爲脉者。有以經隧爲脉者。皆非也。若以營衛爲脉。何以謂之營行脉中。衛行脉外。既曰營衛行于脉中脈外。固知營衛與脈爲二也。又曰。脈者血之府也。脈旣爲血之府。又知血之與脈亦爲二也。扁鵲有曰。十二經皆有動脈。各經有脈。脈亦非經也。岐伯曰。壅遏營氣。令無所避。是謂脈。脈能壅遏營氣。知脈非爲營也。且人有斷手刖足。而不致于死者。劉目劓鼻。而不毀于生者。至于脈之在人身。順則治。逆則病。而絕則死矣。脈之所繫大矣。果何執以成其名乎。余獨斷之曰。脈者先天之元氣也。

脈資生于後天穀氣

岐伯曰。人受氣于穀。穀入于胃。以傳與肺。五藏六府。皆以受氣。其清者爲營。濁者爲衛。營行脉中。衛行脉外。營出于中焦。衛出于上焦。又曰。營者水穀之精氣也。和調于五藏。灑陳于六府。乃能入于脉也。又曰。中焦受氣。取汁變化而赤。是謂血。壅遏營氣。令無所避。是謂脉。故曰。脉者。血之府也。出靈樞營衛生會等篇

章本清曰。脉者何也。莫非血乎。氣爲衛。衛行脉外。莫非血乎。血爲營。營行脉中。然則脉之一字。果何物乎。嘗試原之。必有說矣。盖人之渺軀。渾然中處。吾身之

氣血。即天地之陰陽也。天地之陰陽。所以一升一降者。必有主宰者焉。人身之氣血。所以一周一轉者。必有統御者焉。知此則知脉矣。古之衇字。從血從𠂢。所以使氣血各依分派而行經絡也。今之脉字從肉從永。所以使肌肉以之長久而保天年也。脉者有三。一曰命之本。二曰氣之神。三曰形之道。經所謂天和是矣。春之生也。吾之脉與天地之氣同升。夏之長也。吾之脉與天地之氣同浮。秋之殺也。吾之脉與天地之氣同降。冬之藏也。吾之脉與天地之氣同流。分而言之曰氣曰血曰脈總而言之唯脈運行氣血而已脈爲氣血之體氣血乃脈之用也然則氣血能使脈爲盛衰而氣血之盛衰則又以穀致焉蓋穀入于胃脈道乃行穀氣多則血氣榮昌脈亦盛矣穀氣少則氣血微弱脈亦衰矣至于折一肢瞽一目不能爲害而脈不可須臾失失則絕命害生也故經曰四時以胃氣爲本脈無胃氣則死矣論而至此脈之一字豈非太乙天真之元氣乎

診法常以平旦

黃帝問曰。診法何如。岐伯對曰。診法常以平旦。陰氣未動。陽氣未散。飲食未進。經脈未盛。絡脈調勻。氣血未亂。故乃可診有過之脈。有過之脈脈經作過此非也○出素問脈要精微論

孫真人曰。平脈者。皆于平旦。勿食勿語。消息體氣。設有所作。亦如食頃。師亦如之。

神鏡經曰。欲診他人之脈。先調自已之氣。然後診取病人。以候太過與不及。知病之淺深。如有動作。暫停食頃。方可診脈。人有急病。無論早晚。就當與診之。不必拘于平旦。

戴同父曰：凡診平人之脉，常以平旦。若診病脉，則不以晝夜。此王䐜子亨法也。

氣口獨爲五藏主

黄帝曰：氣口何以獨爲五藏主？岐伯曰：胃者水穀之海，六府之大源也。五味入口，藏于胃以養五藏氣。氣口亦太陰也。是以五藏六府之氣味，皆出于胃，變見于氣口。出素問五藏別論篇

一難曰：十二經皆有動脉，獨取寸口以决五藏六府死生吉凶之法，何謂也？扁鵲曰：寸口者，脉之大會，手

太陰之動脉也。

食氣入胃。散精于肝。淫氣于筋。食氣入胃。濁氣歸心。淫精于脉。脉氣流經。經氣歸于肺。肺朝百脉。輸精于皮毛。毛脉合精。行氣于府。府精神明。留于四藏。氣歸于權衡。權衡以平。氣口成寸。以决死生。出素問經脉別論

愚按胃爲五藏六府之海。五藏六府。皆禀氣于胃。營衛宗氣。分爲三隧。淸氣爲營。濁氣爲衛。宗氣積于胸中。名曰氣海。蓋受穀者濁。受氣者淸。故食氣入胃。其精微者先散于肝。而淫氣于筋。以肝藏筋膜之氣。主

發生故也其五穀之濁氣則上歸于心而精氣則浸淫于脉以心藏血脉之氣也脉氣周流于十二經中起于中焦上膈而歸肺以藏真高于肺而行營衛陰陽也肺合皮毛心合血脉心主血肺主氣血爲營氣爲衛衛營者精氣也血者神氣也脉者血之府也陽明爲十二經脉之長而爲之行氣于三陽陽脉榮其府也太陰者亦爲之行氣于三陰陰脉榮其藏也脾主爲胃行其津液故不言五藏止言四藏蓋五行皆屬土四藏總歸脾脾胃爲一身之主也然府之精氣

雖行于百脉。而神明則留藏于四藏。其浮溢之氣。則歸于權衡。人身營衛調均。陰陽平等。若權衡然。而後氣口平。尺寸成。死生可决矣。

飲入于胃。遊溢精氣。上輸于脾。脾氣散精。上歸于肺。通調水道。下輸膀胱。水精四布。五經並行。合于四時。五藏陰陽。揆度以爲常也。出素問經脉別論

愚按水飲入胃。其精氣轉輸于脾。脾主爲胃行其津液。所謂中焦如漚者是也。散其精微。上歸于肺。肺主氣。氣爲水母。所謂上焦如霧者是也。通調水道。下輸

膀胱膀胱者州都之官津液藏焉所謂下焦如瀆者是也然膀胱雖藏水液全賴三焦主持諸氣上將于肺下將于腎上下通調水道方出故曰氣化則能出矣然水精四布亦與五經並行內溉五藏外合四時準則陰陽揆度虛實用爲常道也

平人呼吸

黄帝問曰平人何如岐伯對曰人一呼脉再動一吸脉亦再動呼吸定息脉五動閏以太息命曰平人平人者不病也常以不病調病人醫不病故爲病人平

息以調之爲法。人一呼脈一動。一吸脈一動。曰少氣。人一呼脈三動。一吸脈三動而躁。尺熱曰病溫。尺不熱脈滑曰病風。人一呼脈四動以上曰死。脈絕不至曰死。乍疎乍數者死。出素問平人氣象論

扁鵲曰。人一呼脈行三寸。一吸脈行三寸。呼吸定息脈行六寸。人一日一夜凡一萬三千五百息。脈行五十度周于身。漏水下百刻。榮衛行陽二十五度。行陰亦二十五度爲一周也。故五十度復會于手太陰。太陰者寸口也。五藏六府之所終始。故取法于寸口也。

晝夜五十營

岐伯曰。一日一夜五十營。以營五藏之精。不應數者。名曰狂生。所謂五十營者。五藏皆受氣。持其脉口。數其至也。五十動而不一代者。五藏皆受氣。四十動而一代者。一藏無氣。三十動一代者。二藏無氣。二十動一代者。三藏無氣。十動一代者。四藏無氣。不滿十動一代者。五藏無氣。予之短期。要在終始。所謂五十動而不一代者。以爲常也。以知五藏之期。予之短期者。乍數乍疎也。出靈樞根結篇十一難曰。經言脉不滿五十動而一止。一藏無氣者。何藏也。扁鵲曰。人吸者隨陰入。呼者因陽出。今吸不能至腎。至肝而還。故知一藏無氣者。腎氣先盡也。

寸口分為三部

黃帝問曰。余聞胃氣。手少陽三焦。四時五行脉法。夫人言脉有三陰三陽。知病存亡。脉外以知內。尺寸大小。願卒聞之。岐伯對曰。寸口之中。外别浮沉。前後左右。虛實死生之要。皆見寸口之中。從魚際至高骨。却行一寸。其中名曰寸口。從寸至尺。名曰尺澤。故曰尺寸。寸後尺前名曰關。陽出陰入。以關爲界。陽出三分。陰入三分。故曰三陰三陽。陽生于尺。動于寸。陰生于寸。動于尺。寸主射上焦。頭及皮毛竟手。關主射中焦。腹及腰。尺主射下焦。少腹至足。出脈經

二難曰。脉有尺寸。何謂也。扁鵲曰。尺寸者。脉之大要會也。從關至尺是尺內。陰之所治也。從關至魚際是寸口內。陽之所治也。故分寸爲尺。分尺爲寸。故陰得尺內一寸。陽得寸內九分。尺寸終始一寸九分。故曰尺寸。

脉有三部九候各何主之扁鵲曰三部者寸關尺也九候者浮中沉也上部法天主胸以上至頭之有疾也中部法人主膈以下至臍之有疾也下部法地主臍以下至足之有疾也審而明之者也

王叔和曰尺勝治下寸勝治上尺寸俱平治中央臍以上陽也法于天臍以下陰也法于地臍爲中關頭爲天足爲地

滑伯仁曰凡診脉之道先須調平自己氣息男左女右先以中指定得關位却齊下前後二指初輕按以

消息之次中按以消息之次重按以消息之然後自寸關至尺逐部尋究一呼一吸之間要以脈行四至爲率閏以太息脈五至爲平脈也其有太過不及則爲病脈看在何部各以其部斷之

又曰凡診脈之際人臂長則疎下指人臂短則密下指三部之內大小浮沉遲數同等尺寸陰陽高下相符男女左右强弱相應四時之脈不相戾命曰平人其或一部之內獨大獨小偏遲偏疾左右强弱之相反四時男女之相背皆病脈也凡病之見在上曰上

病在下曰下病。左曰左病。右曰右病。左脉不和。爲病在表。爲陽。主四肢。右脉不和。爲病在裏。爲陰。主腹臟。以次推之。

又曰。察脉須識上下來去至止六字。不明此六字。則陰陽虛實不别也。上者爲陽。來者爲陽。至者爲陽。下者爲陰。去者爲陰。止者爲陰也。上者自尺部上于寸口。陽生于陰也。下者自寸口下于尺部。陰生于陽也。來者自骨肉之分。而出于皮膚之際。氣之升也。去者自皮膚之際。而還于骨肉之分。氣之降也。應曰至。息

曰止也

愚按脉者。資始于先天元氣。資生于後天穀氣。以周流一身。貫串經絡。所謂元氣者。即腎間動氣。出于下焦。升于中焦。合水穀之精氣。謂之榮氣。又升于上焦。合水穀之悍氣。謂之衛氣。榮行脉中。衛行脉外。其宗氣積于胸中。名曰氣海。即所謂膻中也。故扁鵲曰。三焦者。元氣之别使也。主通行三氣。經歷于五藏六[illegible]華元化曰。三焦者。人之三元之氣也。總領[illegible]營衛經絡。內外左右上下之氣也觀軒帝胃氣手少陽三焦一語則脉有胃氣則生無胃氣則死故三部九候候表沉以候裏中以候胃氣經曰寸以射上焦關上射中焦尺以射下焦三焦分配三部正所以候胃氣而合之四時五行以知病存亡所關豈小乃後人不能理會經旨妄自揣度卽明達如滑伯仁而亦謂右尺乃手心主三焦脉所出一何謬也況下此者乎蓋手心主與三焦爲表裏俱有名無形主持諸氣分布陰陽其于周身灌體和內調外莫大于此其可忽諸

指下輕重

五難曰：脉有輕重，何謂也？扁鵲曰：初持脉如三菽之重，與皮毛相得者，肺部也；如六菽之重，與血脉相得者，心部也；如九菽之重，與肌肉相得者，脾部也；如十二菽之重，與筋平者，肝部也；按之至骨，舉指來疾者，腎部也。故曰輕重也。

持脉之要有三：曰舉，曰按，曰尋。輕手循之曰舉，重手取之曰按，不輕不重委曲求之曰尋。初持脉，輕手候之，脉見皮膚之間者，陽也，府也，亦心肺之應也。重手得之脉附于肉下者陰也藏也亦肝腎之應也不輕不重中而取之其脉應于血肉之間者陰陽相適冲和之應脾胃之候也若浮中沉之不見則委曲而求之若隱若見則陰陽伏匿之脉也三部皆然滑伯仁

脉有陰陽

岐伯曰夫言人之陰陽則外爲陽內爲陰言人身之陰陽則背爲陽腹爲陰言人身之藏府中陰陽則藏者爲陰府者爲陽肝心脾肺腎五藏皆爲陰膽胃大陽小腸膀胱三焦六府皆爲陽故背爲陽陽中之陽

心也。背爲陽，陽中之陰肺也。腹爲陰，陰中之陰腎也。
腹爲陰，陰中之陽肝也。腹爲陰，陰中之至陰脾也。此
皆陰陽表裏，內外雌雄相輸應也。
所謂陰陽者，去者爲陰，至者爲陽，靜者爲陰，動者爲
陽，遲者爲陰，數者爲陽。
四難曰：脉有陰陽之法，何謂也？扁鵲曰：呼出心與肺，
吸入腎與肝，呼吸之間，脾受穀味也，其脉在中。浮者
陽也，沉者陰也，故曰陰陽也。心肺俱浮，何以別之？曰：
浮而大散者心也，浮而短濇者肺也。肝腎俱沉，何以

别之曰牢而長者肝也按之濡舉指來實者腎也脾主中州故其脉在中是陰陽之法也

脉有陽盛陰虚陰盛陽虚何謂也然浮之損小沉之實大故曰陰盛陽虚沉之損小浮之實大故曰陽盛陰虚是陰陽虚實之意

脉分藏府

九難曰脉何以知藏府之病也扁鵲曰數者腑也遲者藏也數即有熱遲即生寒諸陽爲熱諸陰爲寒故别知藏府之病也

脉分內外表裏虛實

脉沉而弦急者，病在內。脉浮而洪大者，病在外。脉實者病在內。脉虛者病在外。在上爲表，在下爲裏。浮爲在表，沉爲在裏。

滑伯仁曰：明脉須辨表裏虛實四字。表，陽也，府也。凡六淫之邪，襲于經絡，而未入于胃府及藏者，皆屬于表也。裏，陰也，藏也。凡七情之氣，鬱于心腹之內，不能越散；飲食五味之傷，流于腸胃之間，不能通泄，皆屬于裏也。虛者，元氣之自虛，精神耗散，氣力衰竭也。實

者邪氣之實繇正氣本虛邪得乘之非元氣之自實也故虛者補其正氣實者瀉其邪氣經所謂邪氣盛則實精氣奪則虛此大法也

又曰凡脉之至在筋肉之上出于皮膚之間者陽也府也行于肌肉之下者陰也藏也若短小而見于皮膚之間者陰乘陽也洪大而見于肌肉之下陽乘陰也寸尺亦然

三部診候定位

尺內兩傍則季脇也尺外以候腎尺內以候腹中附

上左外以候肝內以候鬲右外以候胃內以候脾上附上外以候肺內以候胸中左外以候心內以候膻中前以候前後以候後上竟上者胸喉中事也下竟下者少腹腰股足脛中事也

愚按尺謂尺澤也其穴在肘節中季脇在脇下正當肘盡處尺澤內廉之兩傍則季脇之分也腎居季脇之後故曰尺外以候腎腹居季脇之前故曰尺裏以候腹中左為腎右為命門其氣與腎通故不分左右也肝居腎上其治在左肝主鬲與脊脇周圍相着故

曰附上。左外以候肝。內以候鬲。脾居中洲。脾與胃以膜相連。故曰右外以候胃。內以候脾也。肺居最上。其葉外垂。胷中為喉氣所衝。故曰上附上。右外以候肺。內以候胷中。心系于背。膻中者。心主之宮城也。故左外以候心。內以候膻中。背為陽。腹為陰。腹在前。背在後。故曰前以候前。後以候後。寸為上。尺為下。上部法天。主胸以上至頭之有疾也。下部法地。主臍以至足之有疾也。

推而外之。內而不外。有心腹積也。推而內之。外而不内身有熱也。推而上之上而不下。腰足清也。推而下之下而不上。頭項痛也。按之至骨。脉氣少者。腰背痛而身有痺也。以上出素問脉要精微篇

蔡轠曰。推者。究也。察也。言欲察其病之所在也。内者裏也。外者表也。推而外之。言欲察而輕舉之也。內而不外者。言脉沉而不浮。莫應其舉也。如是則病不在表而在裏。故知心腹有積也。推而內之。言欲察而重按之也。外而不內者。言脉浮而不沉。莫應其按也。如是則病不在裏而在表。故知身有熱也。

張景岳曰。

上寸口也下尺中也凡推求于上部然脉止見于上而下部則弱此以有升無降上實下虚故腰足爲之清冷也凡推求于下部然脉止見于下而上部則虧此以有降無升清陽不能上達故爲頭項痛也或以陽虚而陰凑之亦爲頭項痛也蓋前二節反言之後二節順言之也按之至骨沉陰勝也脉氣少者血氣衰也正氣衰而陰氣盛故爲腰脊痛而身有痹也

愚按人身五藏六府及心之包絡共有十二經十二經皆有動脉軒岐獨取寸口以爲五藏主雖九道之

秘法。至漢已隱而不傳。然十二經表裏陰陽。其配合自有一定之理而不可變易者也。蓋心爲君主之官。神明出焉。手少陰是其經也。與手太陽爲表裏。以小腸合爲府。合于上焦。左寸其部位也。眞心不受邪。故少陰無腧。厥陰手心主。代君行令。亦居左寸。故經曰外以候心。内以候膻中。膻中者。臣使之官。喜樂出焉。又曰。膻中者。心主之宫城也。而高陽生乃候之右尺謬矣。即丹谿亦悮以膻中心主。分爲二藏。况其他乎。小腸者。受盛之官。化物出焉。雖腑居胃下。然手太陽之脉實絡于心故素問云心脉急爲心疝少腹當有形也則徐春甫張景岳輩欲候之左尺者謬也肺者相傳之官治節出焉手太陰是其經也與手陽明爲表裏以大腸合爲府合于上焦右寸其部位也大腸者傳道之官變化出焉雖府當臍右去肺甚遠然手陽明之脉實絡于肺故素問云咳嗽上氣厥在胸中過在手陽明太陰則徐春甫張景岳輩欲候之右尺者謬也脾胃者倉廩之官五味出焉足太陰是其經也與足陽明爲表裏以胃合爲府合于中焦脾胃之

關右關其部位也脾不主時故曰孤藏胃爲五藏六府之海其清氣上注于肺肺氣從太陰而行之爲十二經脉之始故關前一分名曰寸口寸口候陰其義最秘非麤工所能知也肝者將軍之官謀慮出焉足厥陰是其經也與足少陽爲表裏以膽合爲府合于中焦右關其部位也膽者中正之官決斷出焉人身之中膽少陽脉行肝脉之分外肝厥陰之脉行膽脉之位內兩陰交盡一陽初生十二經脉之終且官爲中正剛斷果決凡十一藏皆取決于膽故關前一分

名曰人迎。人迎候陽。其義尤秘。量非暗汝所能窺測也。腎者。作强之官。伎巧出焉。足少陰是其經也。與足太陽爲表裏。以膀胱合爲腑。合于下焦。兩尺其部位也。左爲腎。右爲命門。命門者。精神之所舍。原氣之所繫也。男子以藏精。女子以繫胞。爲十二經之根本也。膀胱者。州都之官。津液藏焉。氣化則能出矣。三焦者。决瀆之官。水道出焉。手少陽是其經也。號曰中清之府。爲原氣之别使。主通行人身三元之氣。經歷五藏六府。三焦通。則内外左右上下之氣皆通。三焦即胸腹臟腑之郭。膻中即心主之宮城。皆曰有名無形。亦號曰孤獨之府。故其經雖與手心主合爲表裏。而部位各異。但三焦之原。實在下焦。與膀胱相屬。故靈樞本輸云。少陽屬腎。腎上連肺。故將兩藏。三焦者。中瀆之府也。水道出焉。屬膀胱。是孤之府也。故三焦診法。脉經分配于寸關尺三部之中。此正論也。而高陽生乃以三焦心包絡屬右尺。誤孰甚焉。蓋右尺乃胞門子戶之位也。故脉經曰。右手關後尺中陽絕者。無子戶脉也。經義昭然。豈得妄自移易乎。

陰陽離合分配六位之圖

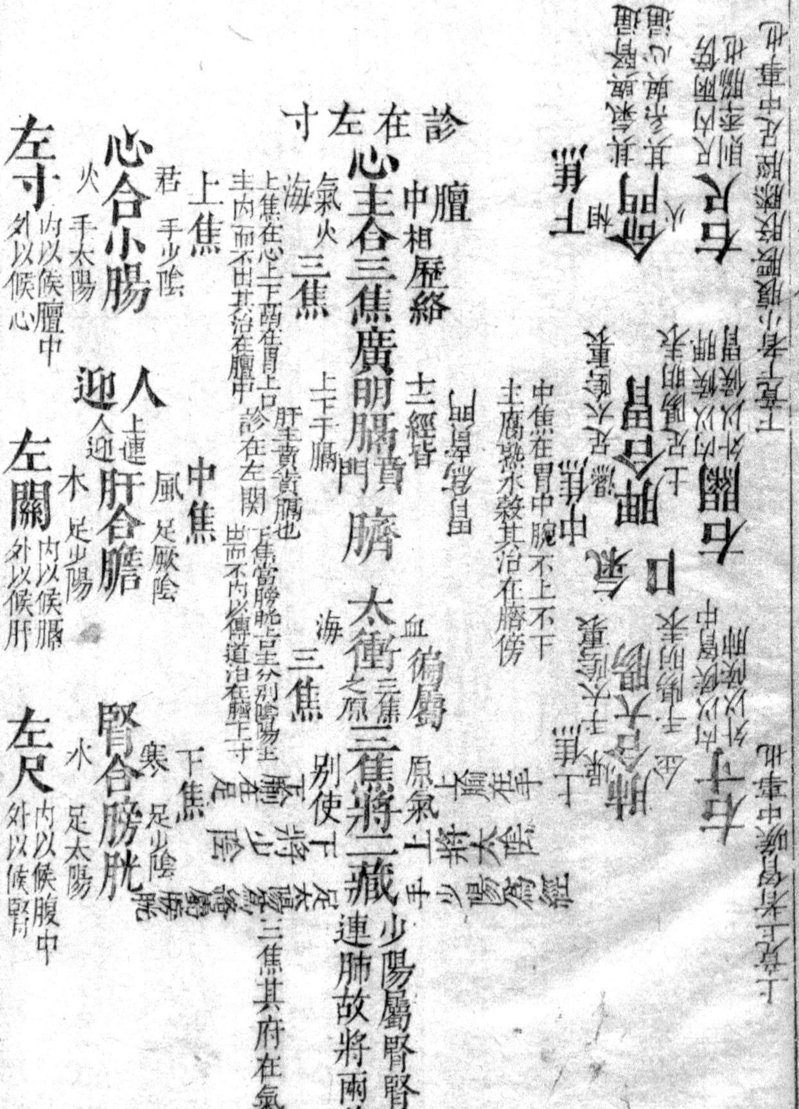

上竟上者胸喉中事也

下竟下者少腹腰股膝脛足中事也

右寸 外以候肺 內以候胸中

肺金 合大腸 手太陰 手陽明 燥

上焦

右關 外以候胃 內以候脾

脾土 合胃 足太陰 足陽明 濕

口 氣

中焦

中焦在胃中脘不上不下 主腐熟水穀其治在臍傍

右尺 尺內兩旁則季脇也

命門 相火

下焦

診在左寸

膻中相歷絡

心主合三焦廣明膈膜貫膂

十二經皆

三焦 氣火 海

上焦在心上下鬲在胃上口 主內而不出其治在膻中

上下于膈

肝主貴賁膈也 診在左關

太衝 之原 三焦

衝脈 血 海

三焦 別使 原氣

三焦將兩藏 下將少陽屬腎腎上連肺故將兩藏

下焦當膀胱上口主分別清濁主出而不內以傳道其治在臍下一寸

下腧在足太陽 足太陽之別 三焦其府在氣街

上焦 君 手少陰

心合小腸 火 手太陽

中焦 風 足厥陰

人迎 上連人迎

肝合膽 木 足少陽

下焦 寒 足少陰

腎合膀胱 水 足太陽

左寸 內以候膻中 外以候心

左關 內以候膈 外以候肝

左尺 內以候腹中 外以候腎

外爲陽內爲陰背爲陽腹爲陰可見背爲外腹爲內矣胷前背後前以候前後以候後

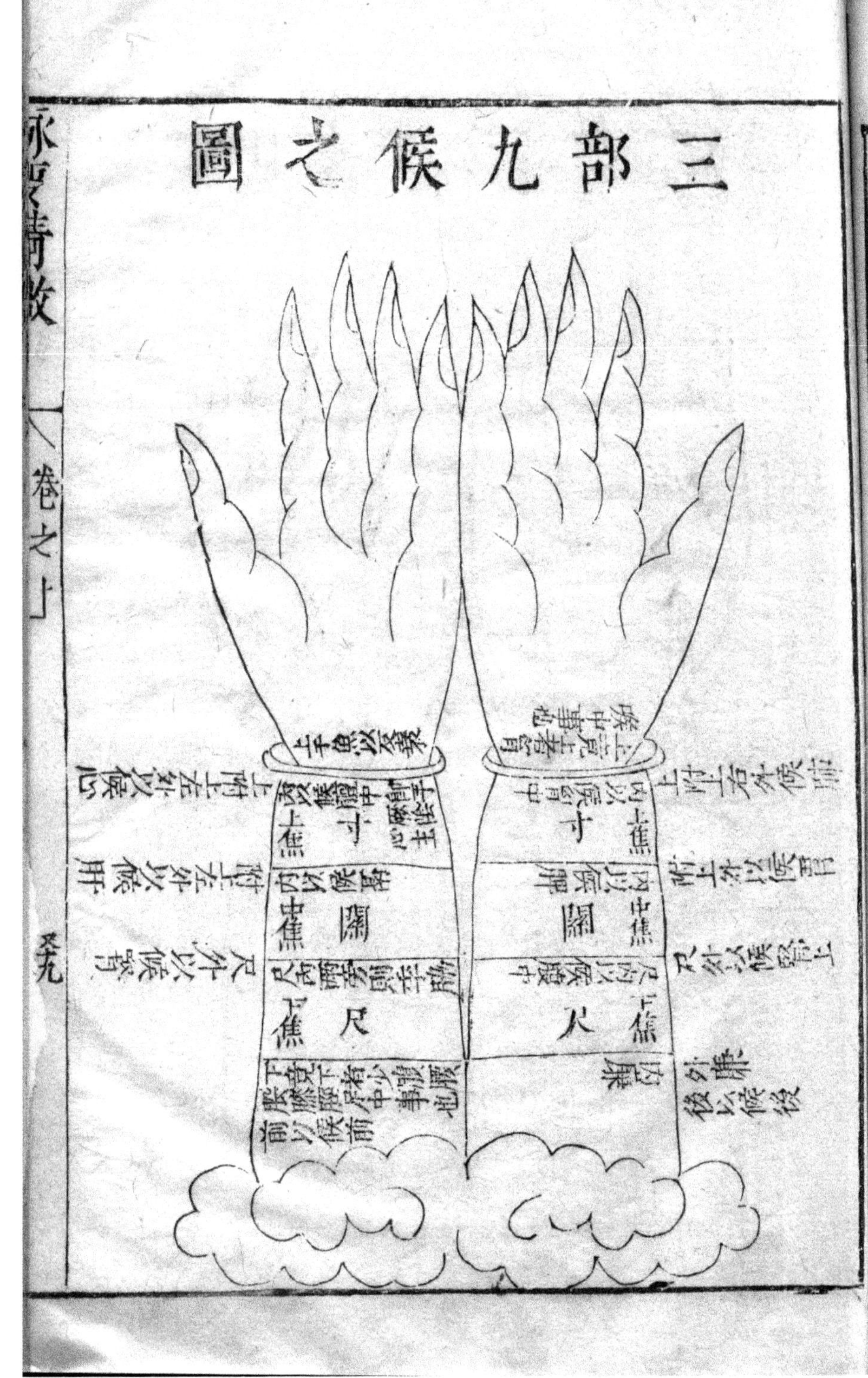
三部九候之圖
卷之上
寸
關
尺
寸
關
尺

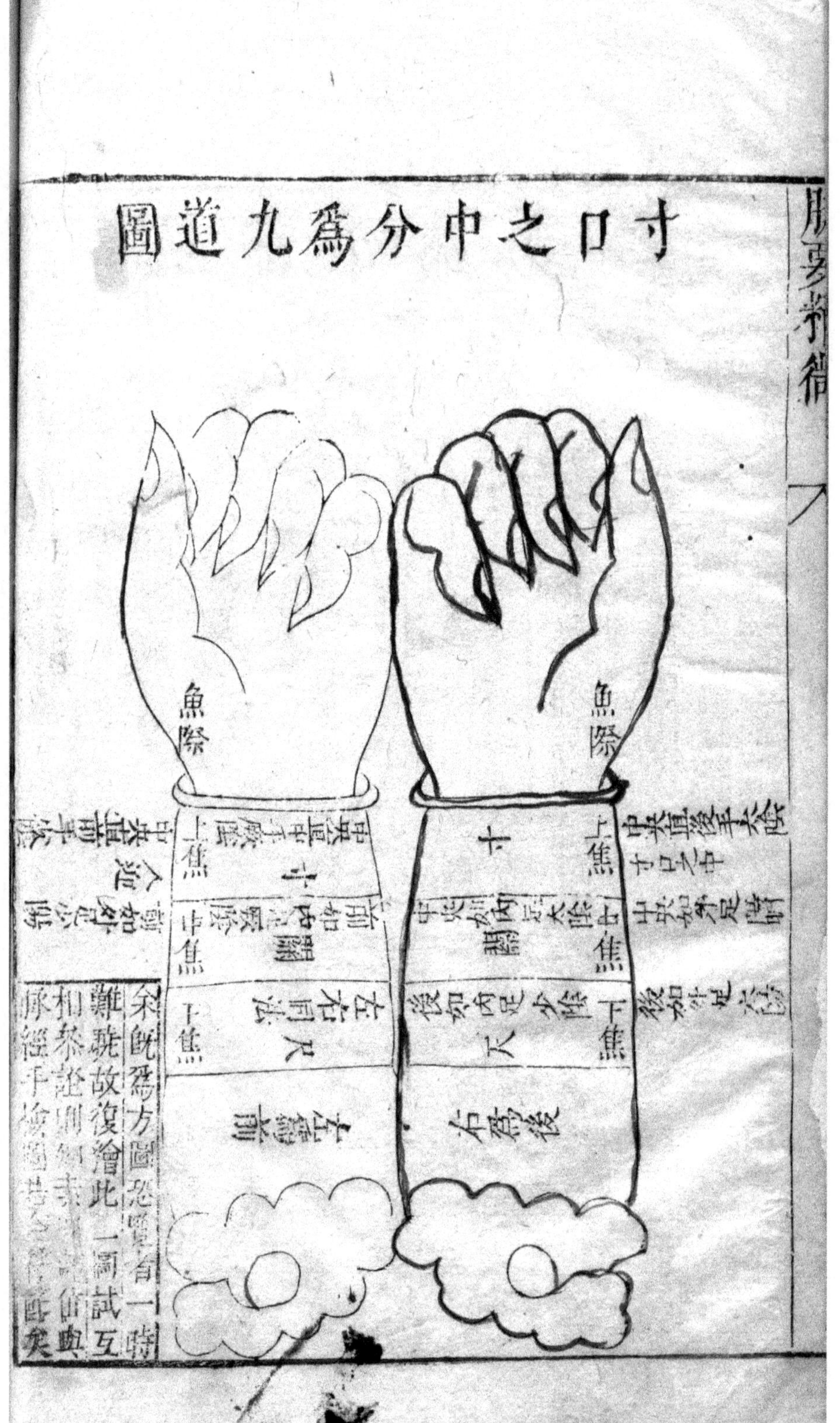
寸口之中分爲九道圖
魚際
魚際
右爲後
左爲前

脉法讚

肝心出左　脾肺出右　腎與命門　俱出尺部
魂魄穀神　皆見寸口　左主司官　右主司府
左大順男　右大順女　關前一分　人命之主
左爲人迎　右爲氣口　神門訣斷　兩在關後
人無二脉　病死不愈　諸經損減　各隨其部
察按陰陽　誰與先後　陰病治官　陽病治府
奇邪所舍　如何捕取　審而知者　鍼入病愈

出王叔和脉經

脉要精微

張仲景平脉法（出傷寒論）

問曰：脉有三部，陰陽相乘，榮衛血氣，在人體躬。呼吸出入，（上下於中）因息游布，津液流通。隨時動作，効象形容，春弦秋浮，冬沉夏洪。察色觀脉，大小不同，一時之間，變無經常。尺寸參差，或短或長，上下乖錯，或存或亡。病輙改易，進退低昂，心迷意惑，動失紀綱。願爲具陳，令得分明。

師曰：子之所問，道之根源。脉有三部，尺寸及關

榮衛流行　不失衡銓　腎沉心洪　肺浮肝弦
此自經常　不失銖分　出入升降　漏刻周旋
水下二刻　一周循環　當復寸口　虚實見焉
變化相乘　陰陽相干　風則浮虚　寒則牢堅
沉潛水滀　支飲急弦　動則爲痛　數則熱煩
設有不應　知變所緣　三部不同　病各異端
太過可怪　不及亦然　邪不虚見　中必有奸
審察表裏　三焦別焉　知其所舍　消息診看
料度府藏　獨見若神　爲子條記　傳與賢人

左手寸口。心與心主。小腸脈候。

心部。在左手關前寸口是也。卽手少陰經也。與手太陽爲表裏。以小腸合爲腑。合于上焦。名曰神庭。在鳩尾下五分。

小腸腑脈證

左寸陽絶者。無小腸脈也。若臍痺。小腹中有疝瘕。王月卽冷上搶心。刺手心主經。治陰。卽太陵穴也。

左寸陽實者。小腸實也。若心下急痺。小腸有熱。小便赤黃。刺手太陽經。治陽。卽後谿穴也。

心主脉證

心藏堅固，邪不能容。諸邪在于心者，皆心之包絡。包絡者，心主之脉也。

左寸陰絕者。無心脉也。若心下毒痛。掌中熱。時時善嘔。口中傷爛。刺手太陽經。治陽。

左寸陰實者。心實也。若心下有水氣。憂恚發之。刺手心主經。治陰。

手太陽經脉證

人迎以前陽實者。手太陽經也。病若身熱。熱來去。汗不出而煩。心中滿。身重。口中生瘡。

人迎以前陽虛者。手太陽經也。病若顱際偏頭痛。耳煩痛。

手厥陰經脉證

人迎以前陰實者。手厥陰經也。病苦閉。大便不利。腹滿。四肢重。身熱。苦胃脹。刺三里。

人迎以前陰虛者。手厥陰經也。病苦悸恐不樂。心腹痛難以言。心如寒狀。恍惚。

左寸陰陽俱實

人迎以前陰陽俱實者。手少陰與太陽經俱實也。病苦頭痛。身熱。大便難。心腹煩滿。不得臥。以胃氣不轉水穀實也。

左寸陰陽俱虛

人迎以前。陰陽俱虛者。手少陰與太陽經俱虛也。病苦洞泄。苦寒。少氣。四肢寒。腸澼

左手關上。肝。膽脈候。

肝部。在左手關上是也。足厥陰經也。與足少陽爲表裏。以膽合爲腑。合于中焦。名曰胞門。在太倉左右三寸。

膽腑脈證

左關陽絕者。無膽脉也。苦膝疼。口中苦。眯目善畏如見鬼狀。多驚少力。刺足厥陰經。治陰。即行間穴也。

左關陽實者。膽實也。苦腹中實。不安。身軀習習也。刺足少陽經。治陽。

肝臟脉證

左關陰絕者。無肝脉也。苦癃。遺溺。難言。脇下有邪氣。善吐。刺足少陽經。治陽。

左關陰實者。肝實也。苦肉中痛。動善轉筋。刺足厥陰經。治陰。

足少陽經脉證

左關陽實者。足少陽經也。病苦腹中氣滿。飲食不下。咽乾。頭重痛。洒洒惡寒。脇痛。

左關陽虛者。足少陽經也。病苦眩。厥痿。足指不能搖。躄。坐不能起。僵仆。目黄。失精䀮䀮。

足厥陰經脉證

左關陰實者。足厥陰經也。病苦心下堅滿。常兩脇痛。自忿忿如怒狀。

左關陰虛者足厥陰經也。病苦脇下堅。寒熱。腹滿不欲飲食。腹脹。悒悒不樂。婦人月經不利。腰腹痛。

左關陰陽俱實

左關陰陽俱實者。足厥陰與少陽經俱實也。病苦胃脹。嘔逆。食不消。

左關陰陽俱虛

左關陰陽俱虛者。足厥陰與少陽經俱虛也。病苦恍惚。尸厥不知人。妄見。少氣。不能言。時時自驚。

左手尺部。腎腹膀胱。脉候并候少腹腰股膝脛足及下焦

腎部。在左手關後尺中是也。足少陰經也。與足太陽爲表裏。以膀胱合爲府。合于下焦。在關元左。

膀胱腑脉證

左尺陽絶者，無膀胱脉也。苦逆冷，婦人月水不調，王月則閉，男子失精，尿有餘瀝。刺足少陰經，治陰，在足内踝下動脉，即太谿穴也。

左尺陽實者，膀胱實也。苦逆冷，脇下有邪氣相引痛。刺足太陽經，治陽。

腎藏脉證

左尺陰絶者，無腎脉也。苦足下熱，兩髀裏急，精氣竭少，勞倦所致。刺足太陽經，治陽。

左尺陰實者，腎實也。苦恍惚，健忘，目視䀮䀮，耳聾悵脹。善鳴。刺足少陰經。治陰。

足太陽經脉證

左尺神門以後陽實者。足太陽經實也。病苦逆滿腰中痛。不可俛仰。勞也。

左尺神門以後陽虛者。足太陽經虛也。病苦脚中筋急腹中痛引腰背。不可屈伸。轉筋。惡風。偏枯。腰痛。外踝後痛。

足少陰經脉證

左尺神門以後陰實者。足少陰經實也。病苦膀胱脹閉。少腹與腰脊相引痛。苦舌燥。咽腫。心煩。嗌乾。胸脇時痛。喘咳。汗出。小腹脹滿。腰背强急。體重。骨熱。小便赤黃。好怒。好忘。足下熱疼。四肢黑。耳聾。

左尺神門以後陰虛者。足少陰經虛也。病苦心中悶。下重。足腫。不可以按地。

左尺陰陽俱實

左尺神門以後陰陽俱實者。足少陰與太陽經俱實也。病苦脊强反折。戴眼。氣上搶心。脊痛不能自反側。

左尺陰陽俱虛

左尺神門以後陰陽俱虛者足少陰與太陽經俱虛也病苦小便利心痛背寒時時少腹滿

右手寸口肺胸中大腸脈候并候上焦

肺部在右手關前寸口是也手太陰經也與手陽明爲表裏以大腸合爲府合于上焦名呼吸之府在雲門

大腸腑脈證

右寸陽絶者無大腸脈也苦少氣心下有水氣立秋節即欬刺手太陰經治陰即太淵穴也

右寸陽實者。大腸實也。苦腸中切痛。如錐刀所刺。無息時。刺手陽明經。治陽。即陽谿穴也。

肺藏脉證

右寸陰絕者。無肺脉也。苦短氣。欬逆。喉中寒。噫逆。刺手陽明經。治陽。

右寸陰實者。肺實也。苦少氣。胸中滿。彭彭。與肩相引。刺手太陰經。治陰。

手陽明經脉證

氣口以前陽實者。手陽明經也。病苦腹滿。善喘欬。面赤。身熱咽喉中如核狀。

氣口以前陽虛者手陽明經也。病苦胸中喘。腸鳴虛渴。唇口乾。目急。善驚。泄白。

手太陰經脉證

氣口以前陰實者。手太陰經也。病苦肺脹。汗出若露。上氣喘逆。咽中塞。如欲嘔狀。

氣口以前陰虛者手太陰經也。病苦少氣。不足以息。嗌乾。不朝津液。

右寸陰陽俱實

氣口以前陰陽俱實者。手太陰與陽明經俱實也。病苦頭痛。目眩。驚狂。喉痺痛。手臂捲。唇吻不收。

右寸陰陽俱虛

氣口以前陰陽俱虛者。手太陰與陽明經俱虛也。病苦耳鳴嘈嘈。時妄見光明。情中不樂。或如恐怖。

右手關上脾胃脉候 并候中焦

脾部。在右手關上是也。足太陰經也。與足陽明爲表裏。以胃合爲府。合于中焦。脾胃之間。名曰章門。在季脇前一寸半。

胃腑脉證

右関陽絶者。無胃脉也。若呑酸頭痛。胃中有冷。刺足太陰經。治陰。即公孫穴也。

右関陽實者。胃實也。若腸中伏伏不思食物。得食不能消。刺足陽明經。治陽。即衝陽穴也。

脾藏脉證

右関陰絶者。無脾脉也。若少氣下利。腹満。身重。四肢不欲動。善嘔。刺足陽明經。治陽。

右関陰實者。脾實也。若腸中伏伏如堅狀。大便難。刺足太陰經。治陰。

足陽明經脉證

右關陽實者。足陽明經也。病苦腹中堅痛而熱。汗不出。如溫瘧。唇口乾。善噦。乳癰。缺盆腋下腫痛。

右關陽虛者。足陽明經也。病苦脛寒。不得臥。惡寒。洒洒。目急。腹中痛。虛鳴。時寒。時熱。唇口乾。面目浮腫。

足太陰經脉證

右關陰實者。足太陰經也。病苦足寒脛熱。腹脹滿。煩擾不得臥。

右關陰虛者。足太陰經也。病苦泄注。腹滿氣逆。霍亂嘔吐。黃疸。心煩不得臥。腸鳴。

右關陰陽俱實

右關陰陽俱實者。足太陰與陽明經俱實也。病苦脾脹腹堅。搶脇下痛。上衝肺肝。動五藏。立喘鳴多驚。身熱汗不出。喉痺精少。

右關陰陽俱虛

右關陰陽俱虛者。足太陰與陽明經俱虛也。病苦胃中如空狀。少氣不足以息。四逆寒。泄注不已。

右尺命門子戶脉候。

腎部在右手尺中是也。足少陰經也。與足太陽爲表裏。以膀胱合爲府。合于下焦。在關元右。左屬腎。右爲子戶。名曰三焦。

膀胱腑脉證

右尺陽絶者。無子戶脉也。苦足逆寒。絶產。帶下。無子。陰中寒。刺足少陰經。治陰。

右尺陽實者。膀胱實也。苦少腹滿。引腰痛。刺足太陽經。治陽。

腎藏脉證

右尺陰絶者。無腎脉也。若足逆冷。上搶胸痛。夢入水見鬼。善厭寐。黑色物來掩人上。刺足太陽經。治陽。

右尺陰實者。腎實也。若骨疼。腰脊痛。內寒熱。刺足少陰經。治陰。

足太陽經脉證

右尺陽實者。足太陽經也。病苦轉胞。不得小便。頭眩痛煩滿。脊骨彊。

右尺陽虛者。足太陽經也。病苦肌肉振動。脚中筋急。耳聾。忽忽不聞。惡風颼颼作聲。

足少陰經脉證

右尺陰實者足少陰經也病苦痺身熱心痛脊脇相引痛足逆熱煩

右尺陰虛者足少陰經也病苦足脛小弱惡風寒脉代絕時不至足寒上重下輕行不可以按地少腹脹滿上搶胸脇痛引肋下

右尺陰陽俱實

右尺陰陽俱實者足少陰與太陽經俱實也病苦癲疾頭重與目相引痛厥欲起走反眼大風多汗

右尺陰陽俱虛

右尺陰陽俱虛者。足少陰與太陽經俱虛也。病苦心痛。若下重不自收。篡反出。時時苦洞泄。寒中。泄腎心俱痛。

人迎氣口

黄帝曰。寸口主中。人迎主外。兩者相應。俱往俱來。若引繩大小齊等。春夏人迎微大。秋冬氣口微大。如是者命曰平人。以上出靈樞禁服篇

所謂平人者不病。不病者。脉口人迎應四時也。上下相應而俱往來也。六經之脉不結動也。本末之寒溫

之相守司也形肉血氣必相稱也是謂平人少氣者脉口人迎俱少而不稱尺寸也如是者則陰陽俱不足補陽則陰竭瀉陰則陽脱如是者可將以甘藥不可飲以至劑如此者弗灸不已者因而寫之則五藏氣壞矣

人迎一盛病在足少陽一盛而躁病在手少陽人迎二盛病在足太陽二盛而躁病在手太陽人迎三盛病在足陽明三盛而躁病在手陽明人迎四盛且大且數名曰溢陽溢陽爲外格死不治必審按其本末

察其寒熱以驗其藏府之病（盛禁服作倍）

脉口一盛病在足厥陰一盛而躁在手心主脉口二盛病在足少陰二盛而躁在手少陰脉口三盛病在足太陰三盛而躁在手太陰脉口四盛且大且數者名曰溢陰溢陰爲內關內關不通死不治必審察其本末之寒温以驗其藏府之病

人迎盛則爲熱虛則爲寒緊則爲痛痺代則乍甚乍間（靈樞經脉篇云虛則人迎反小于寸口也）

氣口盛則脹滿寒中食不化虛則熱中出糜少氣溺

色變緊則痛痺代則乍痛乍止經脉篇云虛則氣口反小于人迎也人迎與脉口俱盛三倍已上命曰陰陽俱溢如是者不開則血脉閉塞氣無所行流溢于中五藏內傷如此者因而灸之則變易而為他病矣

人迎與太陰脉口俱盛四倍已上命曰關格關格者與之短期

雷公曰病之益甚與其方衰如何黃帝曰外內皆在焉切其脉口滑小緊以沉者病益甚在中人迎氣大緊以浮者其病益甚在外其脉口浮滑者病日進人

迎沉而滑者病日損其脉口滑以沉者病日進在内其人迎脉滑盛以浮者其病日進在外脉之浮沉及人迎與寸口氣小大等者病難已病之在藏沉而大者易已小為逆病在府浮而大者其病易已人迎盛堅者傷于寒氣口盛堅者傷于食出靈樞五色篇

一其形聽其動静者持氣口人迎以視其脉脉堅且盛且滑者病日進脉軟者病將下諸經實者病三日已氣口候陰人迎候陽也出靈樞四時氣論

愚按經曰人生于地懸命于天天食人以五氣地食

人以五味。故曰天氣通于肺。地氣通于嗌。又曰喉主天氣。咽主地氣。故喉之上管爲吸門。上有會厭。名曰氣口。乃五藏之臨口。陰受之則入五藏。故氣口候陰。其位在右手關前一分。咽之上管爲咽門。傍有動脉。名曰人迎。乃六腑之源頭。陽受之則入六腑。故人迎候陽。其位在左手關前一分。此人生命之所繫也。上古最爲秘寄。必歃血而後傳之。其義微露于素問六節藏象論曰。凡十一藏取决于膽也。故人迎一盛云云。故字繫頂上膽字。咽爲膽之使。故人迎候于膽之前又陰陽類論云一陽者少陽也至手太陰上連人迎又按史記倉公傳診齊侍御史成病云切其脉時少陽初代代者經病病去過人人則去絡脉主病當其時少陽初關一分云云所謂人者即人迎也則知人迎候于左關前一分自古巳然而曰始于秦越人者何與世之傳疑者始因王太僕陰陽類論中上連人迎誤註謂結喉兩傍之動脉致張景岳輩附會其說反疑王叔和未詳經旨嗚呼是非顛倒不惟誹謗前賢抑且惑亂後學余烏得不辨蓋太淵脉口爲脉

之大會肺。朝百脉。故獨取寸口。以决死生。左右兩手。總是手太陰之動脉。其分爲三部。以候他藏之氣耳。非曰此心脉。此肺脉也。張景岳乃謂人迎爲足陽明之脉。不可以言于手。又引人迎盛堅傷于寒。氣口盛堅傷于食爲證。然則左右六脉俱盛者。止是傷食而無傷寒之脉耶。內經何以有寸口脉浮而盛者。曰病在外。仲景何以有尺寸俱浮。爲太陽受病耶。人迎固結喉兩傍之動脉。爲胃之别絡。其內即咽嗌。故左候人迎以主陽也。氣口即會厭。爲肺之上系。其竅即喉嚨。故右候氣口。以主陰也。若謂人迎必候之喉傍。則氣口亦當候之喉内矣。有是理乎。

神門脉

兩手關後尺前。此神門脉候也。愚按脉法讃云。神門訣斷。兩在關後。人無二脉。病死不愈。素問云。歲水大過。邪害心火。神門絶者死不治。註云。神門。心脉也。水勝而火絶。故死。又按神門乃手少陰心經穴也。在掌後兑骨之端。正與高骨相對。但少後于高骨一分。其動脉兩兩相應。故叔和乃于關後訣斷之耳。

反關脉

反關脉者脉不行于寸口繇列缺絡入臂後手陽明大腸經也以其不順行于關上故曰反關若左手得之主貴右手得之主富左右俱反富而且貴男女皆然

衝陽大谿

衝陽胃脉也一名趺陽在足面大指間五寸骨間動脉是也若病勢危篤當診衝陽以察胃氣有無蓋以土爲萬物之母也經曰衝陽絶死不治信哉

太谿腎脉也。在足內踝後跟骨上。陷中動脉是也。若病勢危篤。當診太谿。以察腎氣有無。蓋以天一生水。真元之氣聚于斯也。經曰。太谿絕死不治。信哉傷寒賦云傷食傷寒須辨人迎氣口。有根有本。必診太谿衝陽。

趺陽脉浮而濇。少陰脉如經者。其病在脾。法當下利。何以知之。若脉浮大者。氣實血虛也。今趺陽脉浮而濇。故知脾氣不足。胃氣虛也。以少陰脉弦而浮。一作沉纔見此爲調脉。故稱如經也。若反滑而數者。故知當屎膿也。

趺陽脉遲而緩，胃氣如經也。趺陽脉浮而數，浮則傷胃，數則動脾，此非本病，醫特下之所爲也。榮衛內陷，其數先微，脉反但浮，其人必大便鞕，氣噫而除。何以言之？本以數脉動脾，其數先微，故知脾氣不治，大便鞕，氣噫而除。今脉反浮，其數改微，邪氣獨留，心中則饑，邪熱不殺穀，潮熱發渴。數脉當遲緩，脉因前後度數如法，病者則飢。數脉不時，則生惡瘡也。

趺陽脉浮，浮則爲虛，浮虛相摶，故令氣䭇，言胃氣虛竭也。

趺陽脉滑而緊。滑者胃氣實。緊者脾氣強。持實擊強。痛還自傷。以手把刃。坐作瘡也。

趺陽脉浮而濇。伏則吐逆。水穀不化。濇則食不得入。名曰關格。

趺陽脉大而緊者。當卽下利。爲難治。

趺陽脉緊而浮。浮爲氣。緊爲寒。浮爲腹滿。緊爲絞痛。浮緊相搏。腸鳴而轉。轉卽氣動。膈氣乃下。少陰脉不出。其陰腫大而虛也。

趺陽脉沉而數。沉爲實。數消穀。緊者病難治。
趺陽脉浮而芤。浮者衛氣衰。芤者榮氣傷。其身體瘦
肌肉甲錯。浮芤相搏。宗氣微衰。四屬斷絶。
趺陽脉微而緊。緊則爲寒。微則爲虚。微緊相搏。則爲
短氣。少陰脉弱而濇。弱者微煩。濇者厥逆。
趺陽脉不出。脾不上下。身冷膚鞕。少陰脉不至。腎氣
微。少精血。奔氣促迫。上入胸膈。宗氣反聚。血結心下。
陽氣退下。熱歸陰股。與陰相動。令身不仁。此爲尸厥
當刺期門巨闕

脉分四時以胃氣爲本

素問曰。春應中規。夏應中矩。秋應中衡。冬應中權。

素問曰。春日浮。如魚之遊在波。夏日在膚。泛泛乎萬物有餘。秋日下膚。蟄虫將去。冬日在骨。蟄虫周密。君子居室。

春胃微弦曰平。弦多胃少曰肝病。但弦無胃曰死。

夏胃微鉤曰平。鉤多胃少曰心病。但鉤無胃曰死。

長夏胃微耎弱曰平。弱多胃少曰脾病。但代無胃曰死。

秋胃微毛曰平。毛多胃少曰肺病。但毛無胃曰死。

冬胃微石曰平。石多胃少曰腎病。但石無胃曰死。

蔡氏曰。凡脉中指。不大不小不長不短不浮不沉不滑不濇。應手中和。意思欣欣。難以名狀者爲胃氣。

蔡黄子曰。脉以胃氣爲本者。脉之中和也。中和者。弦不甚弦。鈎不甚鈎。耎不甚耎。毛不甚毛。石不甚石。順四時五行。而無大過不及也。若春脉弦。如循刀刃。夏脉鈎。如操帶鈎。長夏脉耎。介然不鼓。秋脉濇。如風吹毛。冬脉石。來如彈石。是得其藏之脉。全失中和。是無胃氣可與之决死期矣。

劉肖齋曰。四時平脉。在素問謂之春弦夏鈎。秋浮冬營。在難經謂之春弦夏鈎。秋毛冬石。俚俗謂之春弦夏洪秋毛冬石。詞異而理同也。

滑伯仁曰。凡診脉。須要先識時脉。胃脉。與府藏平脉。然後及于病脉。時脉。謂春三月。六部中俱帶弦。夏三月俱帶洪。秋三月俱帶浮。冬三月俱帶沉。胃脉。謂中按得之脉和緩。府藏平脉。已見前章。凡人府藏既平胃脉和。又應時脉。乃無病者也。反此為病。

愚按難經曰呼出心與肺吸入腎與肝呼吸之間脾受穀味故也其脉在中故五藏之脉皆有胃氣附不獨右關見之而已脉經云胃氣手少陽三焦四時五行脉法乃知三焦主持諸氣其于用身灌身和內調外榮左養右導上宣下貫串于寸關尺三部之中無可休息故經曰人絕飲食則死脉無胃氣亦死

脉貴有神

東垣云不病之脉不求其神而神無不在也有病之脉則當求其神之有無謂如六數七極熱也脉中此中

字浮中沉之有有力言有胃氣即有神矣為泄其熱三遲二敗寒也脈中有力說並如上即有神矣為去其寒若數極遲敗中不復有力為無神也將何所恃耶苟不知此而遽泄之去之神將何以依而主耶故經曰脈者氣血之先氣血者人之神也善夫

脈分四方

夫中原之地四時異氣居民之脈亦因時異春弦夏洪秋毛冬石脈與時違皆名曰病東夷之地四時皆春其氣暄和民脈多緩南夷之地四時皆夏其氣蒸

炎。民脉多大。西夷之地。四時皆秋。其氣清肅。民脉多勁。北夷之地。四時皆冬。其氣凜冽。民脉多石。東南卑濕。其脉耎緩。居于高巔。亦西北也。西北高燥。其脉剛勁。居于汚澤。亦東南也。南人北脉。所禀必剛。北人南脉。所禀必柔。東西不同。可以類剖。

脉分五藏

肝脉弦。心脉鈎。脾脉代。肺脉毛。腎脉石。

五藏平脉

肝脉來耎弱招招。如揭長竿。末稍曰肝平。

心脉來累累如連珠。如循琅玕曰心平。

脾脉來和柔相離。如雞踐地曰脾平。

肺脉來厭厭聶聶。如落榆莢曰肺平。

腎脉來喘喘累累如鈎。按之而堅曰腎平。

五藏病脉

肝脉來盈實而滑。如循長竿曰肝病。

心脉來喘喘連屬。其中微曲曰心病。

脾脉來實而盈數。如雞舉足曰脾病。

肺脉來不上不下。如循雞羽曰肺病。

腎脉來如引葛。按之益堅曰腎病。

五藏死脉

肝脉來急益勁如新張弓弦曰肝死。

心脉來前曲後居。如操帶鈎曰心死。

脾脉來鋭堅如烏之喙。如鳥之距。如屋之漏。如水之流。曰脾死。

肺脉來如物之浮。如風吹毛曰肺死。

腎脉來發如奪索。辟辟如彈石曰腎死。

五藏真脉

真肝脉至中外急如循刀刃責責然如按琴瑟絃

真心脉至堅而搏如循薏苡子累累然

真脾脉至弱而乍數乍疏

真肺脉至大而虛如以毛羽中人膚

真腎脉至搏而絕如指彈石辟辟然

男女脉異

朱丹谿曰昔軒轅使伶倫截嶰谷之竹作黃鍾律管以候天地之節氣使岐伯取氣口作脉法以候人之動氣故黃鍾之數九分氣口之數亦九分律管具而

寸之數始形故脉之動也陽得九分陰得一寸脗合于黃鍾天不足西北陽南而陰北故男子寸盛而尺弱肖乎天也地不滿東南陽北而陰南故女子尺盛而寸弱肖乎地也黃鍾者氣之先兆故能測天地之節候氣口者脉之要會故能知人命之死生世之俗醫誦高陽生之妄作欲以治病其不殺人也幾希

叅黃子曰男子以陽爲主故兩寸脉常王于尺若兩寸反弱尺反盛者腎氣不足也女子以陰爲主故兩尺脉常王于寸若兩尺反弱寸反盛者上焦有餘也

不足固病，有餘亦病，所謂過猶不及也。

婦人脉法

陰虛陽搏謂之崩。

陰搏陽別，謂之有子。

婦人手少陰脉動甚者，妊子也。

得太陰脉爲男，得太陽脉爲女。太陰脉沉，太陽脉浮。

左疾爲男，右疾爲女，俱疾爲生二子。

尺脉左偏大爲男，右偏大爲女，左右俱大産二子。

左手沉實爲男，右手浮大爲女，左右手俱沉實猥生

二男左右手俱浮大猥生二女
左右尺俱浮爲產二男不爾則女作男生左右尺俱
沉爲產二女不爾則男作女生
婦人陰陽俱盛曰雙軀若小陰微緊者血即凝濁經
養不周胎則偏夭其一獨死其一獨生不去其死害
母失胎
何以知懷子之且生也岐伯曰身有病而無邪脉也
婦人欲生其脉離經夜半覺日中則生也
婦人經斷有軀其脉弦者後必大下不成胎也

新産傷陰。出血不止。尺脉不能上關者。死。

脉平而虚者。乳子法也。

婦人尺脉微遲。爲居經。月事三月一下。

婦人尺脉微弱而濇。少腹冷。惡寒。年少得之爲無子。年大得之爲絶産。

老少脉異

老弱之人。脉宜緩弱。若脉過旺者。病也。少壯之人。脉宜充實。若脉過弱者。病也。然猶有説焉。老者脉旺而非躁。此天禀之厚。引年之叟也。名曰壽脉。若脉躁疾

有表無裏此孤陽也其死近矣壯者脉細而和緩三部同等此天稟之靜清逸之士也名曰陰脉若脉來細而勁直前後不等可與之决死期矣

小兒脉法

小兒三歲以下未可用寸關尺診惟以男左女右手虎口次指寅卯辰三關視之寅位爲氣關卯位爲風關辰位爲命關紋色紫熱紅傷寒青驚風白疳疾惟黄色隱隱爲常候也至見黑色則危及三歲以上乃以一指取寸關尺三部常以六至爲率五至即爲遲

七至即爲數矣。

諸病宜忌

傷寒　未汗。宜陽脈。忌陰脈。已汗。宜陰脈。忌陽脈。

中風　宜浮遲。忌急數。　咳嗽　宜浮濡。忌沉伏。

喘急　宜浮滑。忌短濇。　水腫　宜浮大。忌沉細。

頭痛　宜浮滑。忌短濇。　心痛　宜浮滑。忌短濇。

腹痛　宜沉細。忌弦長。　腹脹　宜浮大。忌沉小。

消渴　宜數大。忌虚小。　痿痺　宜虚濡。忌緊急。

癥瘕　宜沉實。忌虚弱。　癲狂　宜實大。忌沉細。

吐血　宜沉小忌實大。　衄血　宜沉細忌浮大。

脱血　宜陰脈忌陽脈。　腸澼　宜沉小忌數大。

下痢　宜沉細忌浮大。　霍亂　宜浮洪忌微遲。

虛損　宜耎緩忌細數。　墮傷　宜堅緊忌小弱。

金瘡　宜微細忌緊數。　癰疽　宜微緩忌滑數。

中惡　宜緊細忌浮大。　中毒　宜洪大忌細微。

新產　宜沉滑忌弦緊。　帶下　宜遲滑忌急疾。

崩漏　宜微弱忌實大。　䘌蝕　宜虛小忌緊急。

怪脈

雀啄　連三五至而歇，歇而再至，如雀啄食，脾絕也。

屋漏　脈來良久一滴，如屋漏滴水狀，胃絕也。

彈石　脈來筋骨間，劈劈然而至，如指彈石，腎絕也。

解索　如解繩索之狀，精血竭也。

鰕遊　脈來沉中間一浮，如鰕遊之狀，靜中一躍，神竟絕也。

魚翔　脈來浮中間一沉，若魚翔，似有如無，命絕也。

釜沸　如釜中有水，火燃極而滾沸，有出無入，陰陽氣絕，旦占夕死，不可爲也。

附芤脉解

芤脉浮大而耎按之中央空。兩邊實。此脉經語也愚按芤即慈葱也其狀中空外實。故芤脉似之。蓋衛行脉外。營行脉中。脉者血之府也故脫血之後營虛衛實。其脉按之指下空豁。有外無中。此芤脉也脉訣言兩頭有。中間無是脉斷截矣芤爲失血脉訣乃主淋瀝氣入小腸亦甚遼絕誤世不小。而劉肖齋所引諸家言芤脉者亦多附會可笑。

脉微卷之上終

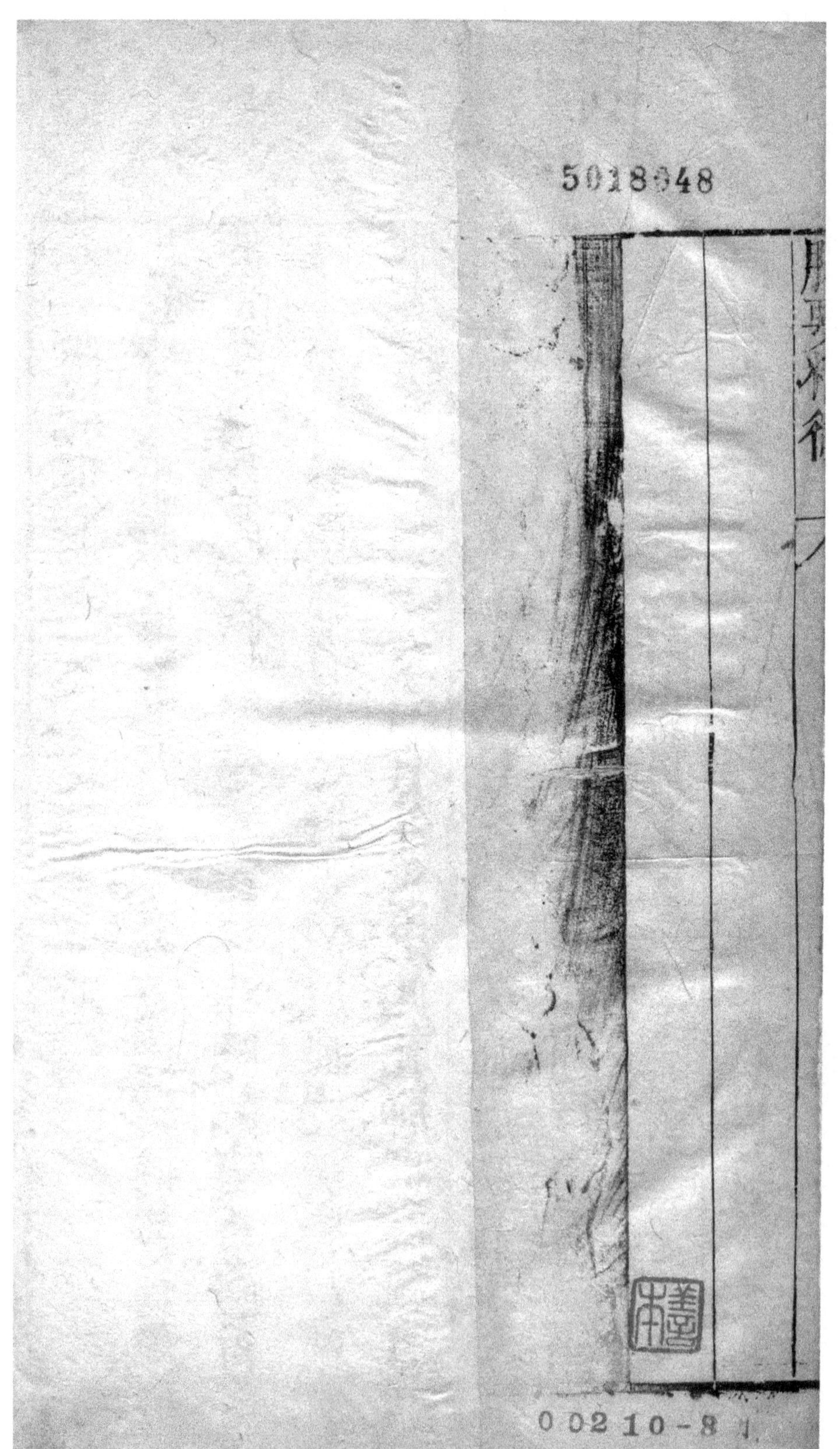

脉微卷之下

華亭施沛沛然父纂述

浮沉遲數爲諸脉綱領

内經曰夫脉之小大滑濇浮沉可以指别五藏之象可以類推又曰按尺寸觀浮沉滑濇知病所在三因方云博則二十四字不濫絲毛約則浮沉遲數總括紀綱故知浮爲風爲虚沉爲濕爲實遲爲寒爲冷數爲熱爲燥風濕寒熱屬外虚實冷燥屬内内外既分三因類别劉立之亦以浮沉遲數爲綱以教學者浮

風沉氣遲冷數熱分別三部爲證此誠初學入門要訣然必繇博反約方能知脉之妙若遽以此自足則畫矣滑伯仁亦謂大抵提綱之要不出乎浮沉遲數滑濇六脉人一身之變不越乎此能于是六脉之中以求之則疢疾在人者莫能逃矣吾明韓飛霞于六脉之外又補以有力無力予更按脉經諸脉形狀指下秘訣分列于四脉之下以便覽觀

凡取脉之道理各不同脉之形狀又各非一凡脉之來必不單至必曰浮而弦浮而數沉而緊沉而細之

類將何以别之大抵提綱之要不出浮沉遲數滑澁
之六脉也浮沉之脉輕手重手而取之也遲數之脉
以己之呼吸而取之也滑濇之脉則察夫往來之形
也浮爲陽輕手而得之也而芤洪散大長濡微皆輕
手而得之之類也沉爲陰重手而得之也而弦伏短
細牢實皆重手得之之類也遲者一息脉三至而緩
結微弱皆遲之類也或曰滑類乎數澁類乎遲何也
然脉雖似而理則殊也彼遲數之脉以呼吸察其至
數之踈數此滑澁之脉則以往來察其形狀也數

爲熱。遲爲寒。滑爲血多氣少。澁爲氣多血少。所謂提綱不出乎六字者。蓋以其足以統夫表裏陰陽冷熱虛實風寒燥濕藏府氣血也。浮爲陽爲表。診爲風爲虛。沉爲陰爲裏。診爲濕爲實。遲爲在藏爲寒爲冷。數爲在府爲熱爲燥。滑爲血有餘。澁爲氣獨滞也。人一身之變。不越乎此。能于是六脉之中以求之。則疢疾在人者。莫能逃焉。

有力無力

脉大而有力者。氣受邪也。脉小而有力者。血受邪也脉大而無力者，氣不足也。脉小而無力者，血不足也。
脉數而無力者，陰虛也。脉緩而無力者，陽虛也。

浮　有力主風　無力主虛　凡得浮脉，是外得之病，宜發散。
沉　有力主積　無力主氣　凡得沉脉，是內得之病，宜疎利。
遲　有力主痛　無力主冷　凡得遲脉，是內得之病，宜溫中。
數　有力主熱　無力主瘡　凡得數脉，是外得之病，宜汗解。

如左寸有力可汗。如左尺無力可溫。
如右寸有力可吐。如右尺有力可下。

愚按經曰：邪氣盛則實，精氣奪則虛。又曰：脉實血實。

脈虛血虛臨診之工。最宜詳審。

弦芤　革　弦大而芤○如按鼓皮○革浮牢沉

有力　洪　來盛去衰○極大在指下

浮而不沉為浮　舉之有餘按之不足○如微風吹鳥背上毛厭厭聶聶○如循榆莢

無力　芤　浮大而軟按之中央空兩邊實

軟細　濡　極軟而浮細如帛在水中輕手相得按之無有

極細　微　極細而軟或欲絕若有若無○浮而薄○瞥瞥如羹上肥

遲大　虛　遲大而軟按之無力隱指豁豁然空

虛甚　散　大而散有表無裏

浮脈法天　輕手可得　泛泛在上　如水漂木

有力洪大　來盛去悠　無力虛大　遲而且柔

虛甚則散　渙漫不收　有邊無中　其名曰芤

浮小爲濡　綿浮水面　濡甚則微　不任尋按

沉緊　弦　舉之無有按之如弓弦狀○端直以長○狀如弓弦按之不移

牢甚　實　大而長微弦按之隱指愊愊然一曰沉浮皆得

有力　牢　有似沉伏實大而長微弦○牢比弦緊轉堅轉勁○千金翼以革爲牢

沉而不浮爲沉　舉之不足按之有餘

無力　弱　極軟而沉細按之欲絶指下

至骨　伏　極重指按之至骨乃得一曰關上沉不出

極細　細　小大于微常有但細耳

(沉)脉法地　近于筋骨　深深在下　沉极为(伏)

有力为(牢)　实大弦长　牢甚则(实)　愊愊而强

无力为(弱)　柔小如绵　弱甚则(细)　如蛛丝然

有止　結　往來緩時一止復來名曰結結累同陰盛則結按之來緩時一止者名曰結陽初來動止更來小數不能自還舉之則動名曰結陰

有力　緩　去來亦遲小駃于遲一曰浮大而輭陰與陽同等○緩與遲相類

遲而不數爲遲　呼吸三至去來極遲

無力　濇　細而遲往來難且散或一止復來○參伍不調澀類乎遲浮而短短而止

不囘　代　來數中止不能自還因而復動○脉動而中止

遲脉屬陰　一息三至　小駛于遲　緩不及四
二損一敗　病不可治　兩息奪精　脉已無力
浮大虛散　或見芤革　浮小濡微　沉小細弱
遲細爲澀　往來難交　易散一止　參伍不調
結則來緩　止而復來　代則來緩　止不能回

有止　促　來去數時一止復來名曰促累同陽盛則促

有力　緊　數如切繩狀○脈來往有力左右彈人手○如轉索無常

數而不遲爲數　數去來促急一曰一息六七至○一曰數者進之名

流利　滑　往來前却流利展轉替替然與數相似又曰漉漉如欲脫○滑與數相類

關數　動　陰陽相搏見于關上無頭尾如豆大厥厥然動搖○數脉見關上上下無頭尾

(數)脉屬陽　六至一息　七疾八極　九至爲脫

浮大者洪　沉大牢實　往來流利　是謂之(滑)

有力爲(緊)　彈如轉索　數見寸口　有止爲(促)

數見關中　(動)脉可候　厥厥動搖　狀如小豆

兼見脈

過于本位曰（長）實牢弦緊皆有長脈○如循長竿末稍爲平如引繩如循長竿爲病

不能滿部曰（短）濇微動結皆兼短脈○應指而迴不能滿部

減于常脈一倍曰（小）濡弱微細皆兼小脈○浮沉取之悉皆損小

加于常脈一倍曰（大）洪實芤虛皆兼大脈○浮取之若浮而洪沉取之大而無力

（長）則氣治　過于本位　長而端直　（弦）脈應指

（短）則氣病　不能滿部　不見于關　惟尺寸候

奇經八脉

奇經八脉　其診又别　直上直下　浮則爲督
牢則爲衝、緊則任脉　寸左右彈　陽蹻可决
尺左右彈　陰蹻可别　關左右彈　帶脉當訣
尺外斜上　至寸陰維　尺内斜上　至寸陽維

尺寸中央俱浮。直上直下者。督脉。中央實。尺寸俱牢直上直下者。衝脉。横寸口邊丸丸者。任脉。前部左右彈者。陽蹻。中部左右彈者。帶脉。後部左右彈者。陰蹻從少陽之厥陰者。陰維。從少陰之太陽者。陽維。

諸脉體象

脉理精微。其體難辨。在心易了。指下難明。浮沉遲數。廼諸脉之綱領。舉按呼吸。爲診法之定衡。舉之有餘。按之不足兮。脉爲浮矣。舉之不足。按之有餘兮。脉以沉名。呼吸三至。而去來極遲兮。斯爲遲脉。呼吸六至而去來促急兮。當以數稱。于是綱領既得。條目不失。浮則冠乎洪芤濡散虛微。沉則統乎細伏弱弦牢實。遲有緩濇結代須辨。數有緊滑促動當述。浮而有力兮。脉名爲洪。指下極大滿而且充。無力爲芤兮。絕類慈葱。兩邊雖實。中央則空。濡則極軟而浮且細兮。如衣如帛。而浮在水中。微乃極細而軟欲絶兮。若有若無。而莫可形容。虛則遲大而輭。空豁而隱于指下。散則虛大而散。渙漫而如無定蹤。沉而有力。脈名爲實兮。長大微强。隱指愊愊狀如弓弦。脈名爲弦兮。舉無按有。長而端直。革則弦大而似伏兮。伏則着骨而乃得。細則常有而但細兮。弱則沉細而軟極。于是浮沉既審。遲數定昭。緩則小駃于遲。而往來和緩。濇則往來短散。而參伍不調。濇又若輕刀之刮竹。節緩又若微風之颭柳條。結則往來既緩。時一止而復動。代則來數中止。不能還而[illegible]消。緊如切繩。亦如轉索。滑若動珠。流利前却。促則往來既急數。而時復一止。譬若蹶者之起而復躓。動則上下無頭尾。而見乎關上。形如豆大而動搖躍如。于是體象既立。形似宜分。浮芤與微濇而形同彷彿。弦緊與滑數而象類紛紜。革與實兮宜別。輭與弱兮當尋。謂沉為伏。則方治永乖。以緩為遲。則危殆立至。況有數候俱見。異病同脈者乎。

諸脉主病

脈象旣立。證候可推。採先聖之旨要。爲後學之筌蹄。仍以浮沉遲數爲綱領。更分寸關尺部爲指歸。庶寓目而脈若鏡。俾臨診而證不迷。

浮脈

浮爲在表兮。爲風爲虛。風則傷衞兮。虛則邪居。（經曰邪之所湊其氣必虛）寸浮則中風發熱。頭痛而鼻塞。關浮則腹滿虛脹。飲食必不思。尺浮爲陽客下焦。風熱而小便不利。更兼滑大。則腹滿溺痛。而大便亦稀。尺寸俱浮。直上直下。或癲或癇。或腰背强痛而不可俛仰。此帶脈爲病。脉浮而大。在寸關尺。尺關寸格。關則張口肩息。而憺憺欲嘔。爲風在胃俞浮而實大。浮而滑疾。皆曰脾不磨。而宿食不化。浮緩爲痺。浮緊爲寒。必强痛不仁。而邪在肌膚。浮短則肺傷而氣少。浮遲則病勞而榮枯。

洪脉

若夫洪脉。爲氣爲熱。寸脉洪大。傷寒熱病兮。胸脇滿而痛且煩。尺中無有。爲陽干陰兮。腰背疼而足脛寒。關洪兮。胸熱煩滿。尺洪兮。脬熱便難。偏洪實滑爲患積。大堅疾者爲病癲。病速進在外。若頭痛發熱癰腫者。其脉必洪大急弦。病心腹冷積。結聚。喜熱飲食者其脉止關上襜襜。

微脉

至如微芤虚濡緫屬虚寒之脉。陽微發汗兮。陰微自下。陽微不能呼兮。陰微不能吸。寸微寒。衂而胸中短氣兮。關微胃冷而心下拘急。尺微心力少而不欲言兮。少腹拘寒而足弱。厥逆。或微而弱兮。或微而濇。氣血俱虚兮。榮衛不足。或發寒。熱兮。疼。煩汗出。或痒不仁兮。數欠吐沫。寸口微而尺緊兮。爲陰在而陽不見其人必虛損而多汗。寸微遲而尺沉兮。爲血實而絡胸臆。其人必瘦薄而厥逆微緩則爲血崩兮。微滑則爲帶疾。微芤則唾血尿血兮。微數必汗出而振慄。

芤脉　濡脉　虛脉

芤爲亡血之徵。寸爲吐。尺爲溺。關則腸腧傷而便血數斗。　濡乃虛冷之候。寸自汗。關脾弱。尺則風痺成而四逆難走。　脉虛血虛。爲虛寒。爲傷暑。傷暑則頭痛自汗。虛寒則小便不禁寸虛卽寒在脾胃。而食不消化。尺虛即漏血脛寒。而痿痺脚疼。

沉脉

沉爲在裏兮。爲水爲實。水必兼絃滑兮。實必帶絃急。或爲遁尸兮。或爲鬼疰。或爲懸飲兮。或爲積聚。關沉則心下若滿而吞酸。寸沉則胸中引脇而短氣。尺沉腰背痛。若關上無者。心下喘急。尺沉關上有者必心痛陰冷而脚痺沉重而直前絕者。爲血在腸間沉重而中散者。因寒食而成瘕矣。沉而弱者。寒熱疝瘕。小腹痛而髮必墮落。沉而細者。下焦有寒。小便數而絞痛下利。寸口沉細，名曰陽中之陰，病苦悲傷不樂，惡聲（惡聞人聲）少氣，亦曰時汗出，陰氣不通，而臂不能舉。尺脉沉細，名中陰中之陰，病苦兩脛痠疼，不能久立，亦曰陰氣衰，小便餘瀝，而陰下濕癢。寸脉沉滑，為上腫，為風水。尺脉沉滑，為下重，為寸白。又沉為血實，滑為氣實，血氣相搏，藏不可入。（入藏即死，入府即愈。）又沉則為水，緊則為寒。沉緊相搏，結在關元。沉遲，令腹藏冷病。沉橫，令脇腹痛積。（寸口脉沉而橫者，脇下及腹中有橫積痛。）腹中有伏梁，而脉沉虛者，必泄注，得冷即便下，而脉沉緊者，乃上熱而下寒。

實脉

若夫脉實血實病屬內因寸實心勞關實胃疼寸實兮卽熱生脾肺而嘔逆氣塞尺實兮必小腹作痛而小便不禁實而兼緊兮則胃中有寒故飲食不能强進時時嘔利兮恐稽留難治雖盧扁莫可迴生。

伏脉

至于伏則揮霍擾亂勢必下注上衝寸伏爲胸中氣逆噎塞不通關爲中焦水氣溏泄尺則小腹癥瘕痛

攻下或水穀不化上或冷氣衝胸或爲四肢厥逆或爲痛極難當。

牢脉

診得牢居關部。脾胃氣塞。熱卽腹滿響聲汨汨。尺部亦滿陰中脹急。尺寸俱牢。上直下直。胸有寒疝。此爲衝脉。尺脉牢長。關上却沒。兩脛苦重。腰腹痛極。

細脉　弱脉

若夫細則氣少。弱則虛悸。寸脉若細兮。發熱反吐。胃虛腹滿兮。關脉必細。尺寒脉細兮。謂之後泄。細滑附骨兮。食積糵氣。尺脉細滑兮。婦人欲產。按之虛直。從高下墜。寸沉細而時直者。身有癰腫。寸沉細而帶滑者。脇有積聚。左右皆滿。痛引及背。細小緊急。病速進在中兮。腹寒刺痛。必內有癥瘕積聚。寸脉細數。即發熱反吐兮。尺若細急。必足痿筋攣疼痺。

寸弱陽虛兮。必心悸自汗而短氣。慎勿極勞兮。在飲食調理以消息。關弱胃虛兮。胃中雖有熱而虛矣。熱不可攻兮。攻之必熱去而寒起。尺弱寸強。胃絡脉傷尺弱陽氣少兮。骨煩發熱。上熱衝頭面兮。下冷無陽弱遲爲衛微榮寒兮。必發熱心飢。飢而虚滿不食。弱緩則胸膈氣填兮。必吞酸不食。噫爲陽弱胃絡脉弱而絃。胸脇腰背並痛。弱小而濇胃反血氣俱傷。

遲脉　緩脉　濇脉

遲爲在藏兮。進則爲寒。寸遲上寒兮。心痛吐酸。關胃尺下兮。風冷相干。遲濇血少。爲中寒癥結等症。遲緩絞痛。乃亡血中風不安遲緩須溫食。食冷而咽即痛遲滑必作脹。脹滿而胸不寬。

緩則爲風爲虚。寸緩兮。皮膚不仁。而風寒在肌。關緩兮。飲食不欲。而脾胃氣虛。尺緩兮脚弱下腫。便有瀝餘。濇則少血多氣。寸濇心痛而胃氣不足。關濇逆冷而中熱血虛。尺濇兮。或足脛逆冷。而小便赤澁。或下血下利。而汗出淋漓。寸大尺濇。滯氣宿食。關濇堅大。按之有力。胃中實熱。脾結肺塞。此爲異脉。不可不識。

數脉

數爲在腑兮。爲虛爲熱。數則煩心兮。心下熱結。寸數即爲吐兮。胃脘有熱。而邪氣上薰。關數則胃有客熱兮。尺則惡寒便赤。而臍下熱疼。陽數必吐血而口生瘡兮。陰數必惡寒，煩撓。而眠不獲寧。寸口虛數欬而聲啞者。肺痿可慮。口噪實數欬而隱痛者。肺癰必成。

滑脉

滑爲實爲下兮。亦爲鬼疰。滑主血多兮。或曰少氣。滑而冲和者。無病而有娠。滑浮微疾者。新病或病肺。寸滑陽實。胸中壅滿。而必成吐逆。關滑胃熱。氣滿不食。而食入還出。尺脉滑者。男溺血而女經閉。蓋爲血氣俱實。兼浮大者。小腹痛而不能尿。尿則陰中痛急。滑而浮散者。中風攤緩。尺偏滑疾者。外熱而赤。更有關上脉滑。而大小不匀者。是病方進。發動不出兩日。其人欲多飲。而飲即注利者。視其止否。生死于焉可測。

緊脉

緊則爲寒、兮。緊亦爲實。浮緊傷寒、兮。沉緊宿食。傷寒則寸緊。而頭痛骨疼。傷食則關緊。而心滿痛急。又人迎緊盛爲傷寒。氣口緊盛爲傷食。寸口浮緊。爲膈寒、水氣。緊而滑疾。定蚘動嘔逆。寸緊疝瘕腹痛。尺緊臍下痛極。緊而急者遁尸。駃而緊者鬼擊。

絃脉　附革脉

絃爲痛痺兮爲風痓爲瘧疾偏絃爲飲兮雙絃當病脇脇下拘急而痛兮其人必惡寒之嗇嗇陽絃頭痛而陰絃腹痛兮絃遲多寒而絃數多熱寸絃頭痛有水氣而心下愊愊兮降寸口者爲頭痛上寸口者爲宿食關絃胃氣虚而胃中有寒兮心下必然厥逆尺絃小腹疼而有疝瘕兮脚中必然拘急絃而鈎者脇下力刺狀如飛尸至困不死絃而緊者衞氣不行惡寒水走腸間有聲左關絃緊脇痛傷藏瘀血内凝絃緊而細寒痺瘕癥寸關尺部心胃臍分絃大爲革亡

血失精。半產漏下。婦人之徵。關若絃大。痛遶臍輪。絃小寒澼。絃遲宜温。此諸脉之見証。聊掇拾以敷陳。

結脉　促脉　代脉　動脉　長脉　短脉

散脉　大脉　小脉

至若陰盛則結。陽盛則促。安卧脉盛。謂之脫血。上盛則氣高。下盛則氣脹。長則氣治。短則氣病。陽動則汗出。陰動則發熱。大則病進。代則氣衰。代散則死。諸脉宜忌。各有條理。須備考夫脉經。毋遺彼而泥此。

愚按經曰代散則死。丹溪釋曰。代其死脉。不分三部。隨應皆是。余嘗診善化令黃桂岩。脉三動一止。良久不能自還。决其必死。後病壽愈。深以爲異。乃遍檢諸家脉法。至滑伯仁診家樞要。其言謂無病羸瘦。其脉代止。眞危亡之兆。若因病血氣驟損以致元氣不續。或風家痛家。脉見止代。只爲病脉。又周梅屋醫學碎金。謂老者生。少者死。蓋桂岩年當髦耋。又是病後。所以不忌代脉。醫非博涉。未易語也。

丹谿手鏡圖

	浮	芤	滑	實	弦	緊	洪	遲
虛	○		陽虛		勞			○
實								
氣							實	
血		失血	經閉					
風	○							
寒				○	○	○		○
濕								
熱	○			○			○	
喘	○			○		○		
滿悶	○		○	○		○	○	
欬嗽			○			○		
下利			○					
痛					○	○	○	○
水	○				○	○	○	
嘔吐	○		○					
痰飲			痰		飲	飲		飲
宿食			○					
癖積					○			
自汗	○	腸癰		○		虫		
腸癰						○		
瘧					○			

脈	1	2	3	4	5	6	7	8	9	10	11	12	13	14	15	16	17	18	19	20	21
緩	下		虛	少	○		痺					○	○								
濡			虛		○	○	痺					○							○	○	
弱	○				○						向										
濇			○	少		○	○						心						○	○	
微			少	敗					○			泄							○	○	
沉		○				○								○				○			
伏			上									泄	疝	○	霍亂	痰	○	○			
細	○		虛	虛		○	○					泄	○	○	○			○			
數	○							○					○		○						

促去來數。而一止復來。皆以痰飲氣血。留滯不行。

結去來緩。時一止復來。皆積。

動爲恐。爲痛爲驚。爲革。

革代散亥。又華爲虛寒。

丹溪評脉

凡男女當以左手尺脉常弱。右手尺脉常盛爲平。脉諸按之不鼓。爲虛寒。　脉諸搏手爲寒涼或寒藥致之。　脉兩手相似。而右爲甚。或責胃虛。　脉少有力。勝則似止。元氣不及。　脉諸短爲虛。諸大爲虛。

脉濇而盛大。外怕寒。證名寒中。註云。寒留于血。脉濇故大也。　脉濇與弦而大。按之有力爲實。無力爲虚。　脉滑。關已上見爲大熱。關已下見爲大寒。註云。水併于上從火化。火併于下從水化。　脉沉遲。寸微滑者爲實。　寸微尺緊。其人虚損。爲陰盛陽微故也。　脉小而虚。不可損氣。脉大而實。不可益氣。　兩寸短小。謂陽不足。病在下。　兩尺不見。或短小。乃食塞。當吐之。　兩寸不足。求之脾胃。當從陰引陽。　兩尺脉虚爲寒。宜薑附。　兩關脉實。上不至發汗。下不至利小便。兩關沉細此虛也宜溫補之。右腎屬火補之巴戟杜仲左腎屬水補之地黃山茱萸黃栢　傷寒寸脈浮滑者有痰宜吐。雜病寸脈沉者屬痰宜吐。凡脈有力者爲實無力者爲虛假令脈浮則爲陽盛陰虛脈沉則爲陰盛陽虛此有則彼無彼有則此無又如弦木實金虧土虛也。凡脈來者爲陽爲氣去者爲陰爲血假令來疾去遲爲陽有餘而陰不足故曰外實內虛出候外入候內。

久卒病灸脈

長病脉虛而濇。虛而滑。虛而緩。虛而弦。虛而結。浮而滑。實而滑。實而大。微而伏。細而軟。如屋漏。如雀啄。如羹上肥。如蜘蛛絲如霹靂。如貫珠。如水淹。皆死脉也。卒病與長病條下亙者死候。

形脉不相應

肥人脉細欲絕者死。瘦人脉躁者死。身澁脉滑者死。身滑脉澁者死。身小脉大者死。身大脉小者死。身短脉長者死。身長脉短者死。

附紫虛脈訣　月池李言聞刪補　笠澤施沛攷定

人身之脉　本乎先天　自祖迎宗　一脉相傳
父母搆精　兩神合焉　腎間動氣　實居形先
隨母呼吸　胎息綿綿　十月降生　始資後天
天食五氣　地食五味　五氣入鼻　藏于心肺
五味入口　藏于腸胃　五臟六腑　皆以受氣
清者爲營　濁者爲衛　營行脉中　衛行脉外
壅遏營氣　令無所避　是謂脉也　血之府也
脉不自行　隨氣而至　氣動脉應　陰陽之義

氣如橐籥　血如波瀾　血脈氣息　上下循環
十二經中　皆有動脈　獨取寸口　吉凶可測
手太陰肺　上系吭嗌　脈之大會　息之出入
初持脈時　令彼仰掌　掌後高骨　是謂關上
陽出陰入　以關爲界　關前爲陽　關後爲陰
寸關與尺　三部停匀　左右六部　一部兩經
一臟一腑　一表一裏　浮爲在表　沉爲在裏
遲則在臟　數則在腑　左寸屬心　合于小腸
膻中主氣　心主宮墻　關爲肝膽　尺腎膀胱

右寸屬肺　大腸同條　關則脾胃　尺命與胞
寸關尺部一分配三焦　寸射胸上　關候膈下
尺候于臍　下至跟踝　左脉候左　右脉候右
病隨所在　不病者否　左大順男　右大順女
關前一分　人命之主　左為人迎　右為氣口
神門決斷　兩在關後　人無二脉　病死不愈
男女脉同　惟尺則異　陽弱陰强　反此病至
脉有七診　曰浮中沉　上下左右　消息求尋
又見九候　舉按輕重　三部浮沉　各候五動

浮爲心肺　沉爲腎肝　脾胃中州　浮沉之間
心脉之浮　浮大而散　肺脉之浮　浮濇而短
肝脉之沉　沉而絃長　腎脉之沉　沉實而濡
脾胃屬土　脉宜和緩　命爲相火　左寸同斷
春絃夏洪　秋毛冬石　四季和緩　是謂平脉
太過實强　病生于外　不及虚微　病生于内
春得秋脉　死在金日　五臟准此　推之不失
四時百病　胃氣爲本　脉貴有神　不可不審
調停自氣　呼吸定息　四至五至　平和之則

三至爲遲　遲則爲冷　六至爲數　數即熱證
轉遲轉冷　轉數轉熱　遲數既明　浮沉當別
浮沉遲數　辨內外因　外因于天　內因于人
天有陰陽　風雨晦冥　人喜怒憂　思悲恐驚
外因之浮　則爲表證　沉裏遲陰　數則陽盛
內因之浮　虛風所爲　沉氣遲冷　數熱何疑
浮數表熱　沉數裏熱　浮遲表虛　沉遲冷結
表裏陰陽　風氣冷熱　辨內外因　脉證參別
脉理浩繁　總括于四　既得提綱　引申觸類

浮脉法天　輕手可得　汎汎在上　如水漂木
有力洪大　來盛去悠　無力虛大　遲而且柔
虛甚則散　渙漫不收　有邊無中　其名曰芤
浮小爲濡　綿浮水面　濡甚則微　不任尋按
沉脉法地　近于筋骨　深深在下　沉極爲伏
有力爲牢　實大絃長　牢甚則實　愊愊而強
無力爲弱　柔小如綿　弱甚則細　如蛛絲然
遲脉屬陰　一息三至　小駃于遲　緩不及四
二損一敗　病不可治　兩息奪精　脉已無氣

浮大虛散　或見芤革　浮小濡微　沉小細弱
遲細爲濇　往來極難　易散一止　止而復還
結則來緩　止而復來　代則來緩　止不能回
數脉屬陽　六至一息　七疾八極　九至爲脫
浮大者洪　沉大牢實　往來流利　是謂之滑
有力爲緊　彈如轉索　數見寸口　有止爲促
數見關中　動脉可候　厥厥動搖　狀如小豆
長則氣治　過于本位　長而端直　絃脉應指
短則氣病　不能滿部　不見于關　惟尺寸候

一脉一形　各有主病　数脉相兼　則見諸證

浮脉主表　裏必不足　有力風熱　無力血弱

浮遲風虛　浮數風熱　浮緊風寒　浮緩風濕

浮虛傷暑　浮芤失血　浮洪虛火　浮微勞極

浮濡陰虛　浮散虛劇　浮絃痰飲　浮滑痰熱

沉脉主裏　主寒主積　有力痰食　無力氣鬱

沉遲虛寒　沉數熱伏　沉緊冷痛　沉緩水畜

沉牢痼冷　沉實熱極　沉弱陰虛　沉細痺濕

沉絃飲痛　沉滑宿食　沉伏吐利　陰毒聚積

遲脉主臟　陽氣伏潛　有力爲痛　無力虛寒
數脉主腑　主吐主狂　有力爲熱　無力爲瘡
滑脉主痰　或傷于食　下爲畜血　上爲吐逆
濇脉少血　或中寒熱　反胃結腸　自汗厥逆
絃脉主飲　病屬膽肝　絃數多熱　絃遲多寒
浮絃支飲　沉絃懸痛　陽絃頭痛　陰絃腹痛
緊脉主寒　又主諸痛　浮脉表寒　沉緊裏痛
長脉氣平　短脉氣病　細則氣少　大則病進
浮長風癇　沉短宿食　血虛脉虛　氣實脉實

洪脈為熱　其陰則虛　細脈為濕　其血則虛
緩大者風　緩細者濕　緩濇血少　緩滑內熱
濡小陰虛　弱小陽竭　陽竭惡寒　陰虛發熱
陽微惡寒　陰微發熱　男微虛損　女微瀉血
陽動汗出　陰動發熱　為痛與驚　崩中失血
虛寒相搏　其名為革　男子失精　女子失血
陽盛則促　肺癰陽毒　陰盛則結　疝瘕積鬱
代則氣衰　或泄膿血　傷寒心悸　女胎三月
脈之主病　有宜不宜　陰陽順逆　凶吉可推

中風浮緩　急實則忌　浮滑中痰　沉遲中氣
尸厥沉滑　卒不知人　入臟身冷　入腑身溫
風傷于衛　浮緩有汗　寒傷于營　浮緊無汗
暑傷于氣　脉虚身熱　濕傷于血　脉緩細濇
傷寒熱病　脉喜浮洪　沉微濇小　證反必凶
汗後脉靜　身涼則安　汗後脉躁　熱甚必難
陽病見陰　病必危殆　陰病見陽　雖困無害
上不至關　陰氣已絶　下不至關　陽氣已竭
代脉止歇　臟絶傾危　散脉無根　形損難醫

飲食內傷　氣口急滑　勞倦內傷　脾脉大弱
欲知是氣　下手脉沉　沉極則伏　濇弱久深
大鬱多沉　滑痰緊食　氣濇血芤　數火細濕
滑主多痰　弦主留飲　熱則滑數　寒則弦緊
浮滑兼風　沉滑兼氣　食傷短疾　濕留濡細
瘧脉自弦　弦數者熱　弦遲者寒　代散者折
洩瀉下痢　沉小滑弱　實大浮洪　發熱則惡
嘔吐反胃　浮滑者昌　弦數緊濇　結腸者亡
霍亂之候　脉代勿訝　厥逆遲微　是則可怕

欬嗽多浮　聚肺關胃　沉緊小危　浮濡易治
喘急息肩　浮滑者順　沉濇肢寒　散脉逆證
病熱有火　洪數可醫　沉微無火　無根者危
骨蒸發熱　脉數而虛　熱而濇小　必殞其軀
勞極諸虛　浮耎微弱　土敗雙絃　火炎急數
諸病失血　脉必見芤　緩小可喜　數大可憂
瘀血內畜　却宜牢大　沉小濇微　反成其害
遺精白濁　微濇而弱　火盛陰虛　芤濡洪數
三消之脉　浮大者生　細小微濇　形脫可驚

小便淋閟　鼻頭色黃　濇小無血　數大何妨
大便燥結　須分氣血　陽數而實　陰遲而濇
癲乃重陰　狂乃重陽　浮洪吉兆　沉急凶殃
癇脉宜虛　實急者惡　浮陽沉陰　滑痰數熱
喉痺之脉　數熱遲寒　纏喉走馬　微伏則難
諸風眩運　有火有痰　左濇死血　右大虛看
頭痛多絃　浮風緊寒　熱洪濕細　緩滑厥痰
氣虛絃耎　血虛微濇　腎厥絃堅　直痛短濇
心腹之痛　其類有九　細遲從吉　浮大延久

疝氣絃急　積聚在裏　牢急者生　弱急者死
腰痛之脈　多沉而絃　兼浮者風　兼緊者寒
絃滑痰飲　濡細腎著　大乃腎虛　沉實閃肭
脚氣有四　遲寒數熱　浮滑者風　濡細者濕
痿病肺虛　脈多微緩　或濇或緊　或細或濡
風寒濕氣　合而爲痺　浮濇而緊　三脈乃備
五疸實熱　脈必洪數　濇微屬虛　切忌發渴
脈得諸沉　責其有水　浮氣與風　沉石或裏
沉數爲陽　沉遲爲陰　浮大出厄　虛小可驚

脹滿脉絃　土制于木　濕熱數洪　陰寒遲弱
浮爲虛滿　緊則中實　浮大可治　虛小危極
五臟爲積　六腑爲聚　實强者生　沉細者死
中惡腹脹　緊細者生　脉若浮大　邪氣已深
癰疽浮數　惡寒發熱　若有痛處　癰疽所發
脉數發熱　而痛者陽　不數不熱　不疼陰瘡
未潰癰疽　不怕洪大　已潰癰疽　洪大可怕
肺癰已成　寸數而實　肺痿之形　數而無力
肺癰色白　脉宜短濇　不宜浮大　唾糊嘔血

腸癰實熱　滑數可知　數而不熱　關脉芤虚
微濇而緊　未膿當下　緊數膿成　切不可下
婦人之脉　以血爲本　血旺易胎　氣旺難孕
少陰動甚　謂之有子　尺脉滑利　妊娠可喜
滑疾不散　胎必三月　但疾不散　五月可别
左疾爲男　右疾爲女　女腹如箕　男腹如斧
欲産之脉　其至離經　水下乃産　未下勿驚
新産之脉　緩滑爲吉　實大絃牢　有證則逆
小兒之脉　七至爲平　更察色證　與虎口文

奇經八脉　其診又別　直上直下　浮則爲督
牢則爲衝　緊則任脉　寸左右彈　陽蹻可决
尺左右彈　陰蹻可別　關左右彈　帶脉當决
尺外斜上　至寸陰維　尺内斜上　至寸陽維
督脉爲病　脊强癲癇　任脉爲病　七疝瘕堅
衝脉爲病　逆氣裏急　帶主帶下　臍痛精失
陽維寒熱　目眩僵仆　陰維心痛　胸脇刺築
陽蹻爲病　陽緩陰急　陰蹻爲病　陰緩陽急
癲癇瘛瘲　寒熱恍惚　八脉脉證　各有所屬

平人無脉　移于外絡　兄位弟乘　陽溪列缺
病脉既明　吉凶當別　經脉之外　又有真脉
肝絶之脉　循刀責責　心絶之脉　轉豆躁疾
脾則雀啄　如屋之漏　如水之流　如杯之覆
肺絶如毛　無根蕭索　麻子動揺　浮波之合
腎脉將絶　至如省客　來如彈石　去如解索
命脉將絶　鰕游魚翔　至如涌泉　絶在膀胱
真脉既形　胃已無氣　参察色證　斷之以臆

手訣圖（此圖得之心悟，與原圖迥別）

一脈分為九道之圖

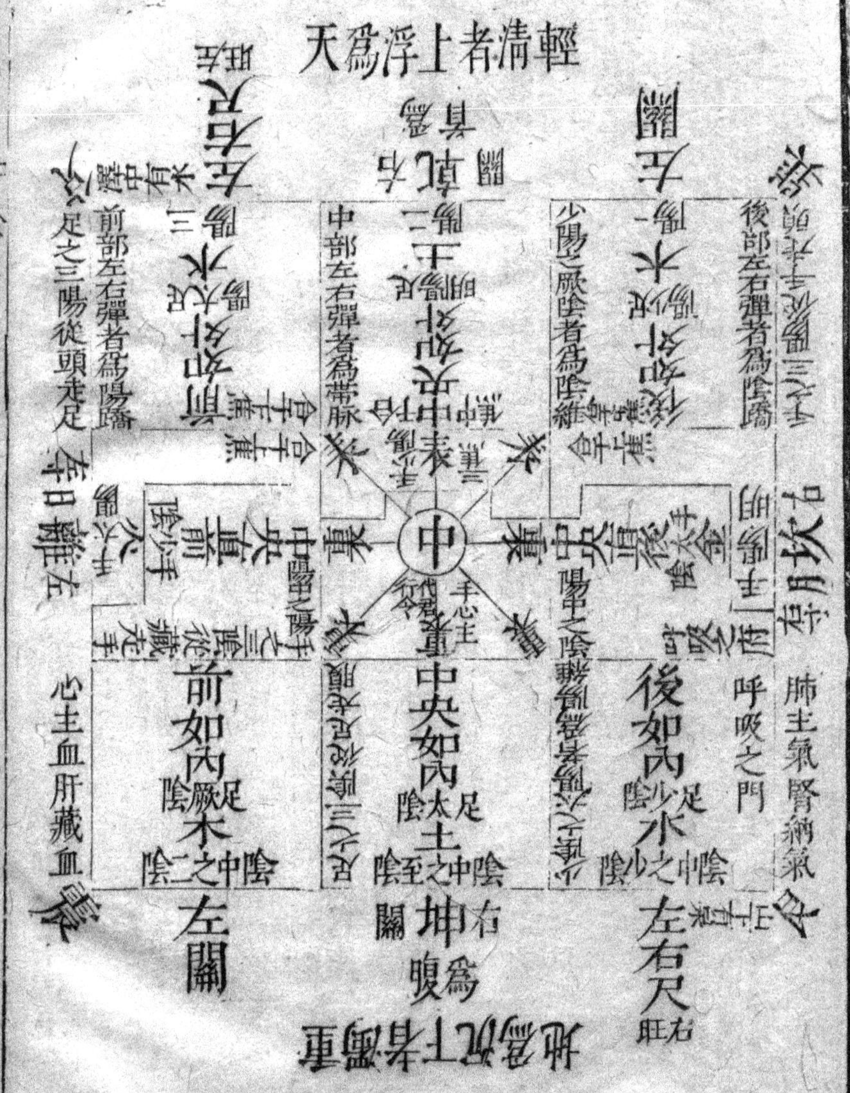

輕清者上浮為天

中

肺主氣 腎納氣 坎

呼吸之門

後如內 足少陰 水 陰中之少陰

左右尺

中央如內 足太陰 土 陰中之至陰

右關 坤為腹

前如內 足厥陰 木 陰中之二陰

左關

心主血 肝藏血 震

手之三陰從藏走手

足之三陽從頭走足

重濁者下沉為地

手檢圖二十一部說

愚按經言氣口獨爲五藏主。又云肺朝百脉。又云氣口成寸以决死生。故氣口之中陰陽交會。中有五部。前後左右分爲九道。又陰蹻陽蹻陰維陽維陰結陽結及帶脉。又爲七部。共成二十一部。統十二經脉并奇經八脉。此乃岐伯所授黄帝之秘訣也。向來但傳三部。而不明九道。故奇經之脉。世無知者。宋林億始以手檢圖補在脉經之末。然直存舊目。無從考證。至我明李瀕湖杜撰爲圖。分左右兩手各爲九道。殊爲牽合附會。且其圖全無義理。覽之益令人瞶瞶。余反覆玩味至窮歲月。一旦恍若有悟。質之異人。撰爲此圖并將脉經原文稍爲詮次。以附陰陽諸論之後。俾明心人便于參證。以闡千古之秘藏也。

黄帝問曰。肺者。人之五藏華蓋也。上以應天。解理萬物。主行精氣。法五行四時。知五味。寸口之中。陰陽交會。中有五部。前後左右各有所主。上下中央。分爲九道。浮沉結散。知邪所在。其道奈何。岐伯對曰。

前如外者足太陽也。中央如外者足陽明也。

後如外者足少陽也。中央直前者手少陰也。

中央直中者手心主也。中央直後者手太陰也。

前如內者足厥陰也。中央如內者足太陰也。

後如內者足少陰也。以上九道　前部左右彈者陽蹻也。

中部左右彈者帶脈也。後部左右彈者陰蹻也。

從少陽之厥陰者陰維也。從少陰之太陽者陽維也。

來大時小者陰結也。來小時大者陽結也。以上七部

足太陽主病

前如外者。足太陽也。動苦目眩。頭項。腰背。强痛。男子陰下濕癢。女子月水不利。少腹痛引命門。陰中痛。子臟閉。　浮爲風。　濇爲寒。　滑爲勞熱。　緊爲宿食。

足陽明主病

中央如外者。足陽明也。動苦頭痛面赤。　滑爲飲。　浮爲大便不利。　濇爲嗜卧。腸鳴。不能食。足脛痺。

足少陽主病

後如外者。足少陽也。動苦腰背。胻。股。肢節痛。　浮爲氣濇。　濇爲風血。　急爲轉筋。爲勞。

足厥陰主病

前如內者。足厥陰也。動苦少腹痛引腰。大便不利。小便難。莖中痛。女子月水不利。陰中寒。子戸壅絕。內少腹急。男子疝氣。兩丸上入淋也。

足太陰主病

中央如內者。足太陰也。動苦胃中痛。腹滿。上脘有寒。食不下。病以飲食得之。欬唾有血。足脛寒。少氣身重。從腰上狀如坐水中。　沉濇。苦身重。四肢不動。食不化。煩滿不能臥。足脛痛。苦寒。時欬血。泄利黃。

足少陰主病

後如內者。足少陰也。動苦少腹痛。與心相引。背痛。淋。從高墮下傷于尻內。便血裏急。月水來。上搶心。胷脇滿拘急。股裏急也。

手少陰主病

中央直前者。手少陰也。動苦心痛。微堅腹脇急。實堅者爲感忤。純虛者爲下利腸鳴。滑者爲有娠。女子陰中癢痛。痛出玉門上一分前。

手心主主病

中央直中者。手心主也。動苦心痛。面赤。食苦咽。多喜怒。　微浮苦悲傷恍惚。　濇爲心下寒。　沉爲恐怖。如人將捕之狀。時寒熱有血氣。

手太陰主病

中央直前者。手太陰也。動苦欬逆。氣不得息。　浮爲內風。　沉爲熱。　緊爲胸中積熱。　濇爲時欬血。

陽蹻主病

前部左右彈者。陽蹻也。動苦腰背痛。癲癇風惡。偏枯僵仆。羊鳴。瘰痺皮膚。身體強。　微濇爲風。

帶脉主病

中部左右彈者。帶脉也。動苦少腹痛引命門。女子月水不來。絕繼復下。令人無子。男子苦少腹拘急或失精也。

脉經云。診得帶脉左右遶臍腹。腰脊痛衝陰股也。

陰蹻主病

後部左右彈者。陰蹻也。動苦癲癇寒熱。皮膚強痺。少腹痛。裏急腰胯相連痛。男子陰疝。女子漏下不止

陽維主病

從少陽斜至太陽者。陽維也。動苦肌肉痹癢。顛疾僵仆羊鳴。手足相引。甚者失音不能言。

脉經云。診得陽維脉浮者。暫起目眩。陽盛實。苦肩膝洒洒如寒。

陰維主病

從少陽斜至厥陰者。陰維也。動苦癲癇僵仆。羊鳴失音。肌肉淫癢。汗出惡風。

脉經云。診得陰維脉沉大而實者。苦胷中痛。脇下支滿。心痛。診得陰維如貫珠者。男子兩脇實。腰中痛。女子陰中痛，如有瘡狀。

陰絡主病

脉來暫大暫小，是陰絡也。動苦肉痺，應時自發，身洗洗也。

陽絡主病

脉來暫小暫大者，是陽絡也。動苦皮膚痛，下部不仁，汗出而寒也。

愚按以上俱出手檢圖，余採脉經以足奇經八脉附載于後。

衝督二脈

兩手脈浮之俱有陽。沉之俱有陰。陰陽皆實盛者。此爲衝督之脈也。衝督之脈者。十二經之道路也。衝督用事。則十二經不復朝于寸口。其人皆苦恍惚狂癡。不者。必當猶豫有兩心也。

衝脈

脈來中央堅實。尺寸俱牢。直上直下者。此爲衝脈。動苦少腹痛。上搶心。胷中有寒疝瘕。絕孕。遺溺。脇支煩滿也。

督脈

尺寸中央俱浮。直上直下者。此爲督脉。動若腰背彊痛。不得俛仰。勝寒。大人癲病。小兒風癎疾。

任脉

横寸口邊丸丸此爲任脉。若腹中有氣。如指上搶心。拘急不得俛仰。一又云。脉來緊細實長至關者任脉也。動者少腹繞臍下。引横骨陰中切痛。

脉微卷之下終

5018049
0 02 10 - 8

栖芬室藏中醫典籍精選·第三輯

繡像翻症

提要　孟慶雲

内容提要

繡像翻症一卷，是范行準先生栖芬室藏中醫典籍精選第三輯之一。是書爲清咸豐元年（一八五一）文林堂所梓，作者佚名。

此書又名翻症圖考，刻本甚多，尚有同治十三年（一八七四）鑒餘堂刻本、光緒十五年（一八八九）三義堂刻本、光緒十七年（一八九一）刻本、成德堂刻本、刻坊及刻書年代均未署記的清刻本。所列五種刻本中兩種未記刻書年代，另三種均晚於本次影印所選刻本，顯見本次影印刻本的文獻價值爲最高。與本書相類之書有稱七十二翻症者，未具刻坊及作者姓名，列七十二症，症名下陳述幾項主要症狀或體徵及簡單有效的治法。

文林堂是清初浙江龍泉縣李儒林開設的刻書坊，有清一代刻書甚多，其中繪圖繡像本，以精巧逼真清晰見優。現存泰山李斯碑、四體字書法、易經大全會解、文林堂四書、繪圖三字經、新刻孟姜女全本繪圖、二論詳解等書，醫書如李東垣醫方捷徑、小兒推拿方書等。本書爲繪圖木刻版，單魚尾上象鼻處有『京都』二字，書口處示以頁數，版框内無界行。無書衣頁，也無書簽。從象鼻處之『京都』二字，知是書爲北京的分號所刻。文林堂曾在江蘇江陰、江蘇常熟、四川中江等地設有分號。藏本未見有序、跋、目録、凡例等。僅在版框内有繪圖，繪圖旁有所示的翻症名稱和症狀特徵及精要的治法。

翻症是民間醫生對一類疾病的稱謂，多指突然發生的、有幾種與正常生理行爲相反（翻）徵象的病證。南北方的民間醫生，因歷史沿傳的生活習慣等因素的不同，對病證有不同的概括。翻症，江浙一帶多稱『痧』，其多呈現比斑疹還細微的小痧點，或刮後而露出小痧點，同時伴有幾項生理反作症狀；北方民間則稱『翻』或『疔』。如在黑龍江省，把初時急發心痛劇烈、吐黄水、冬季發病者稱爲『吐黄水病』或『攻心翻』（一九三五年被醫學界命名爲『克山病』）。在北方又把一日數次腹瀉，或伴嘔吐腹痛，肛門周圍可見細小如疔毒狀『疔』點，而挑破疔點，擠出一些液體，症狀可一時緩解者，稱爲『羊毛疔』。總之，北方民間多將一些初發有生理反作症狀的病證稱爲『翻症』。

民間醫學對翻症病因無從究論，只能言其爲『招邪附體』。其症狀體徵和常態相反，常幡然反作，如腸内液體應由肛門向下排出，但突然反而由上從口排出，呈反（翻）作；常人眼平視，患翻症者却常翻白眼等。此書所列，也有稱『疔』、稱『痧（煞）』者，如柳皮疔、滚腸殺（痧、煞）等。

中醫歸類某種證候，常把諸多同類衆證稱以七十二數，如七十二種急慢驚風、七十二種喉症、七十二種眼症、七十二種痧症、七十二種翻等，以示『合於術數』。眼症、喉症之書均未達七十二種，但也稱『七十二症』。本書实际列出了七十八種翻，每翻一頁，或畫一圖示人的症狀體徵，或畫兩圖，以一圖示人的症狀體徵，一圖示所類比的動物（因翻症命名常以動物比擬）。繪圖形象逼真，圖旁以行書，用數語寫出病形和治法，簡要明確。因本書未見目録，現依序列其名目如下：烏鴉狗翻、白眼翻、螞蟻翻、盤喉翻、滚腸殺、兔子翻、長蟲翻、啞叭翻、蝦蟆翻、母猪翻、麻殺、螻蛄翻、珍珠翻、羊羔翻、馬翻、蛇曲驢翻、龟翻、牛頭翻、鳳凰展翅翻、烏紗翻、吹氣翻、混腦翻、撓痒翻、猴耍翻、騾子翻、豆蟲翻、纏絲翻、魚翻、涌血翻、鹿翻、駱駝翻、猛虎翻、虬蜡翻、紡車子翻、地龍翻、心疼翻（九種心疼）、蟲翻、雀目翻、壅心翻、頂殺脹、馬猴翻、斑鳩翻、利刀翻、進頂珠翻、無語翻、血擁心翻、柳皮疔、血腥紫疔、象翻、獅子翻、猫翻、老鼠翻、老鸛翻、鵝翻、鷹翻、鴨子翻、鷄子翻、喜雀翻、鵪鶉翻、蜜蜂翻、四足蛇翻、蝎子翻、蝎虎翻、蛐子翻、秋蟬翻、蚯蚓翻、螳螂翻、蚊子翻、醋（臘）猪翻、蝣蜒翻、甲魚翻、機腿翻、穿心翻、蜈蚣翻。

繡像翻症的最後列出了從九種心疼到五淋白濁共三十九種病證的偏方，且在多年凍瘡之後，列了一個號稱『百試百驗』的加味芎歸湯，即芎歸湯（川芎、當歸）加龜板、婦人頭髮（如鷄蛋大一團）（治胎死腹中或難産交骨不開者，『用此方如神』）。綜上可知，此書用圖畫方式介紹了七十八種翻症的臨床表現及簡易治法，又介紹了治療四十種病勢較急的翻症的偏方。這是一部講説常見病、急症，普適於民間的醫書。

孟慶雲

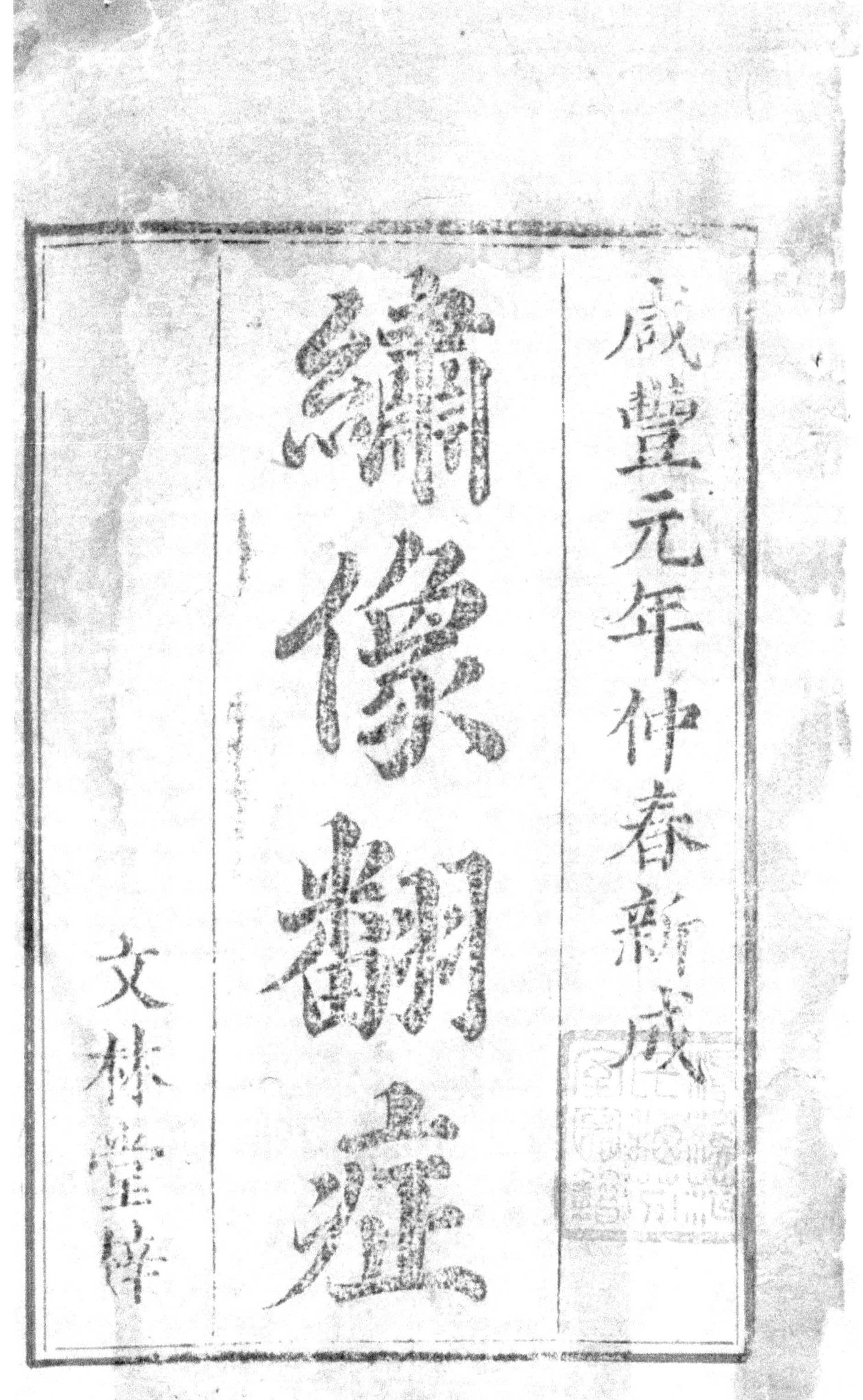

咸豐元年仲春新成

繡像翻症

文林堂梓

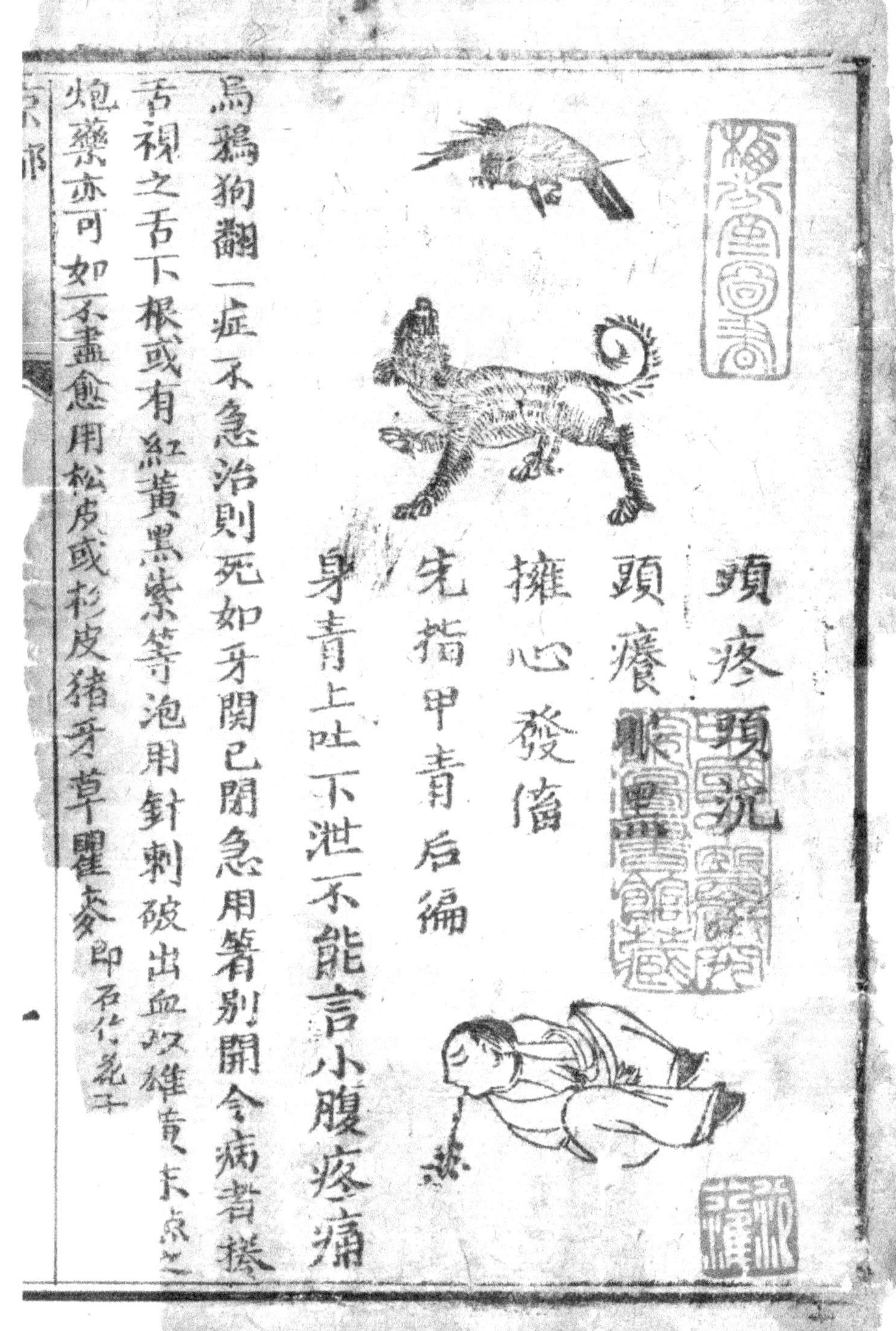
頭疼頭沉
頭癢眼黑
攤心發偣
先指甲青后徧
身青上吐下泄不能言小腹疼痛
烏鴉狗翻一症不急治則死如牙関已閉急用箸別開令病者捲
舌視之舌下根或有紅黃黑紫等泡用針刺破出血以雄黄末点之
炮藥亦可如不盡愈用松皮或杉皮猪牙草瞿麥即石竹花子

蓋被出汗忌風三日忌米飯三日

其形常翻

白眼

白眼翻治法將頂門灸三艾炷如不愈再灸三艾炷方愈

心中難受
身若虫拱
舌下有紅
青黑等泡

螞蟻翻治法用針刺破舌下紅青黑等泡出血〻往外吐不可内咽着炒麸子揉擦設身再有泡用麸子水洗一徧飲麸子水半碗立愈

咽喉腫疼

不能飲食

豆喉翻治法用蜘蛛網一個連蜘蛛加入棗肉煅黃存性爲末以葦筒吹入喉内即愈此蜘蛛網是壁錢也

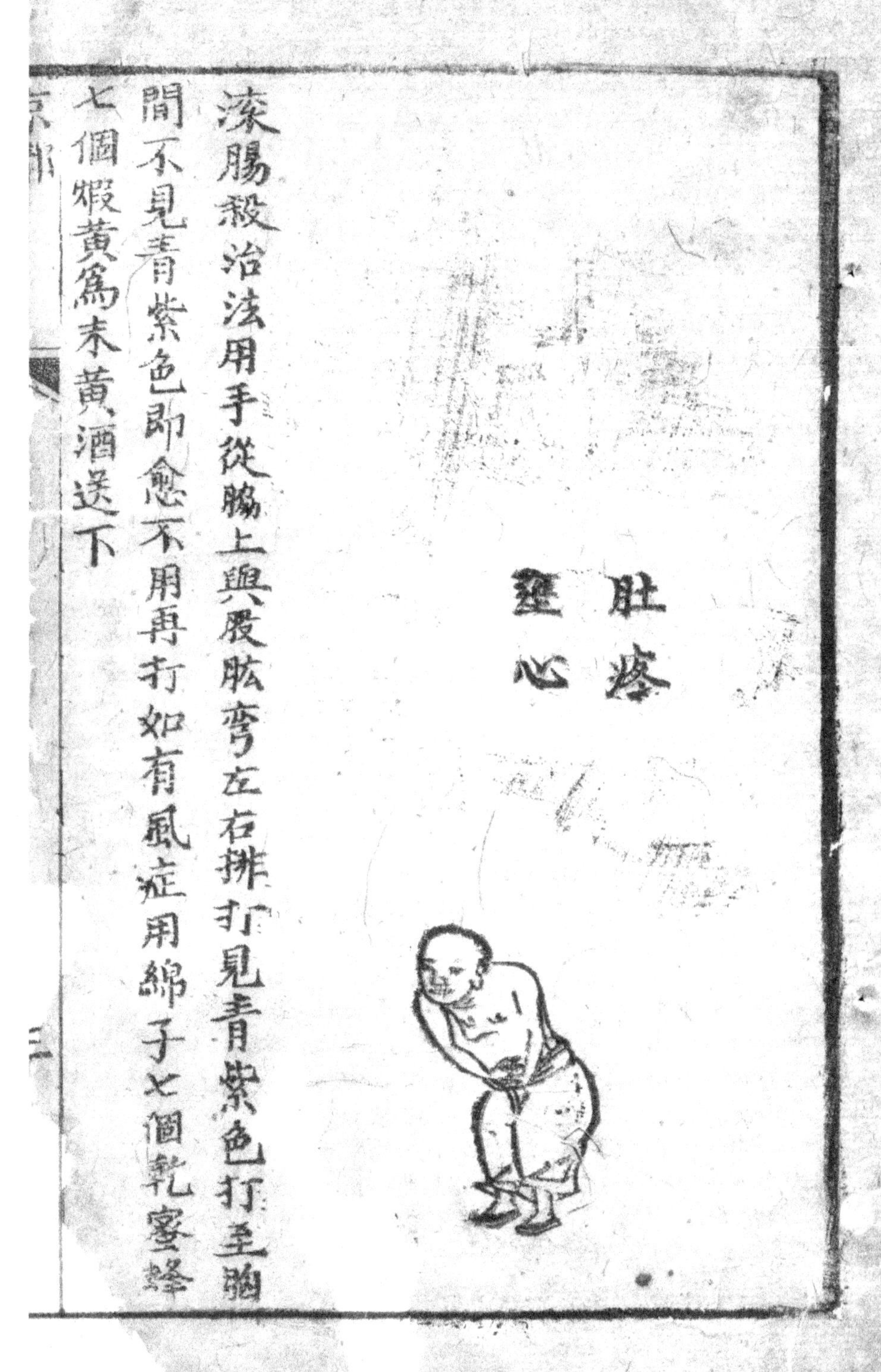

滚腸殺治法用手從膀上與腿肱彎左右排打見青紫色打至胸間不見青紫色即愈不用再打如有風症用綿子七個乾蜜蜂七個煅黃爲末黃酒送下

直走荒郊

脚步不寧

兔子翻治法急用炮藥此須灌之或濕土泥理頭亦好只許走着治不許卧着治

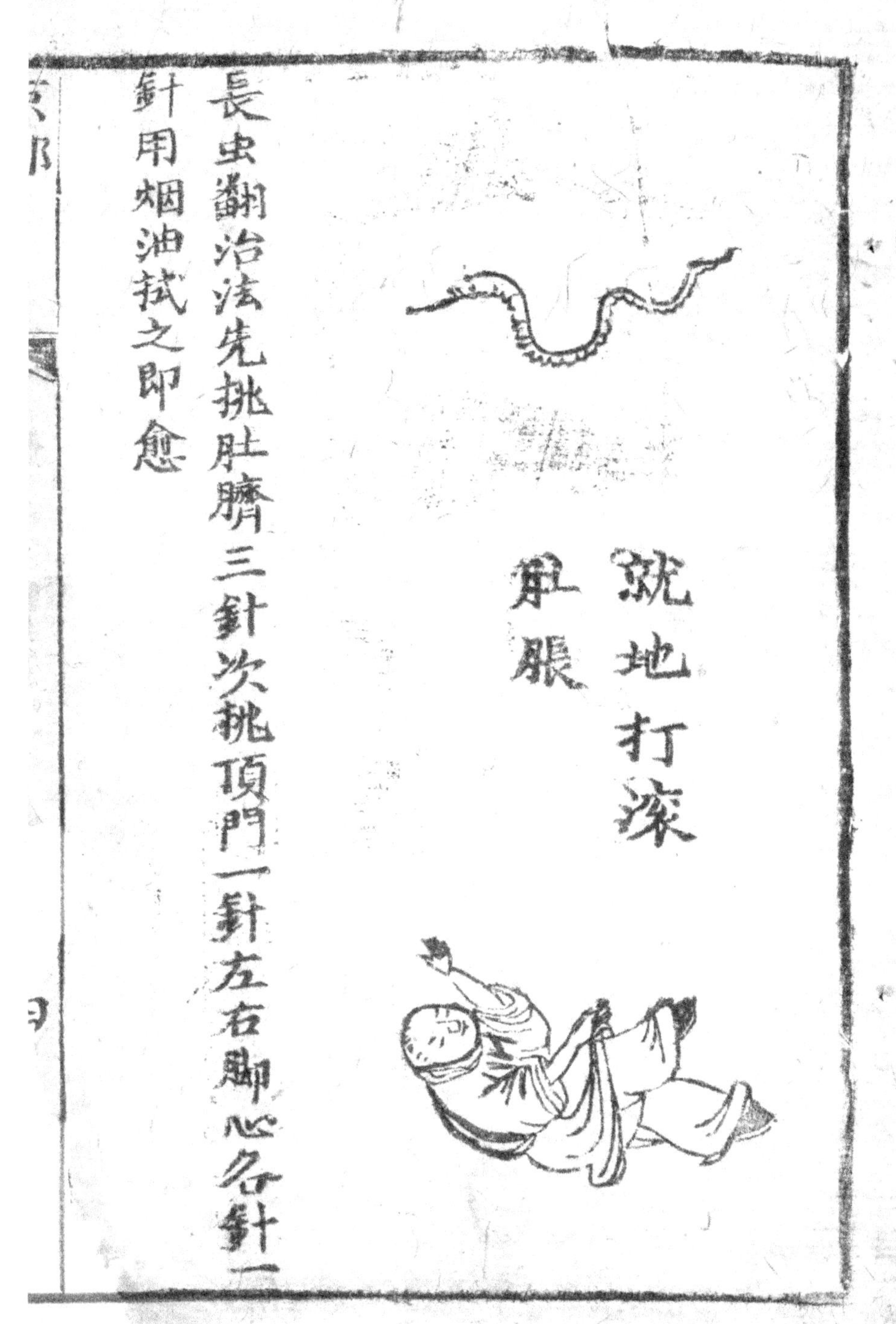

長虫翻治法先挑肚臍三針次挑頂門一針左右腳心各針一針用烟油拭之即愈

著地不能
言語

延吹翻治法用鞋底湛涼水打頂門女人分髮用手湛涼水
拍之

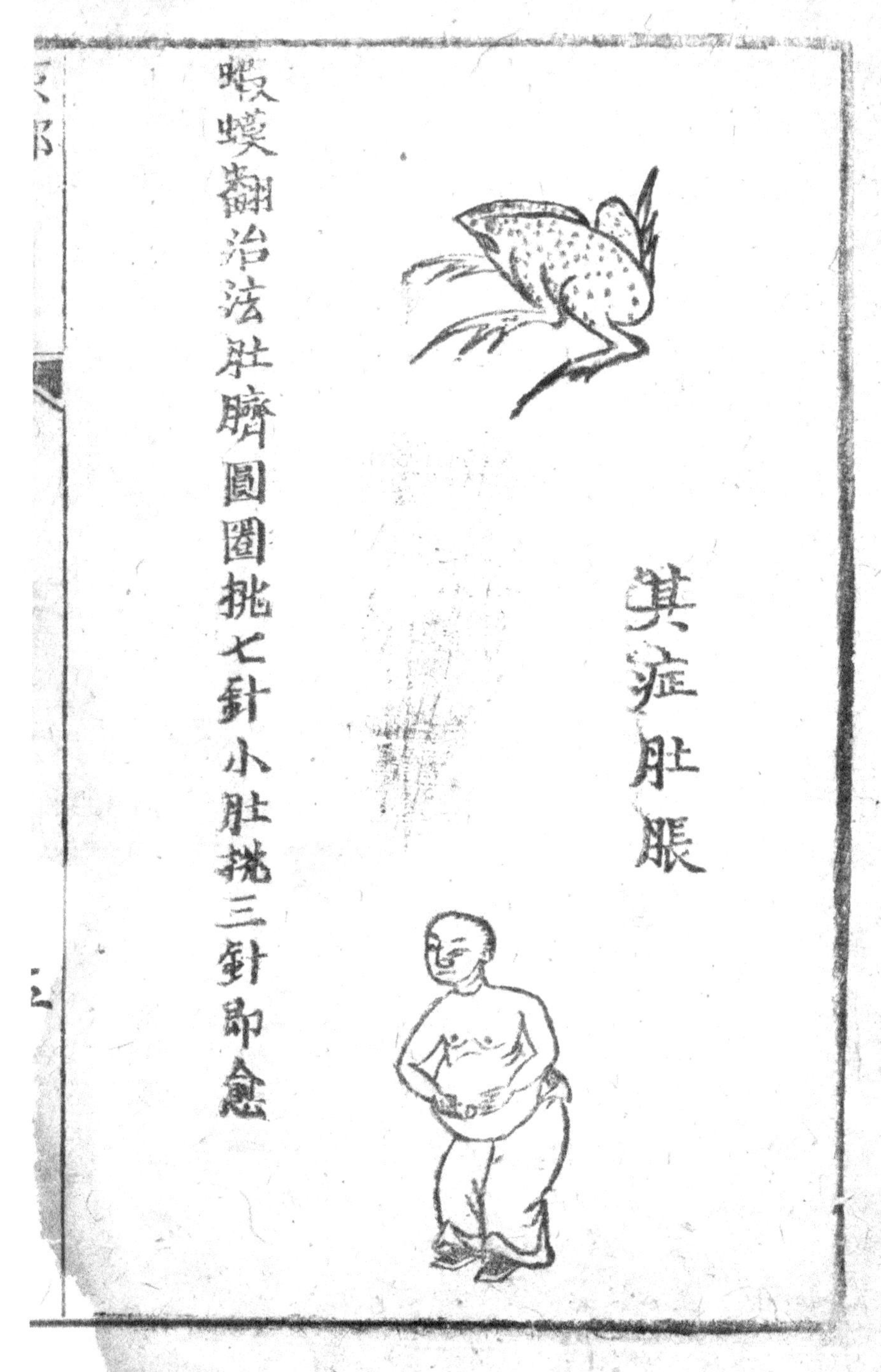
蝦蟆翻治法肚臍圓圈挑七針小肚挑三針即愈
其症肚脹

其形拱地

母猪[illegible]治法先挑舌根后除二大指不針餘指各針一針再以猪食池水灌之既愈

其症遍身木麻

麻殺脹治方用蒂皮麻秆滗涼水打股肱夸㿼青即愈

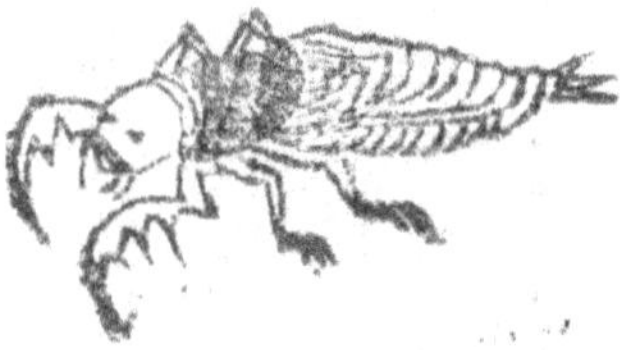

其症乳兩旁似螻蛄瘡形刺癢難忍

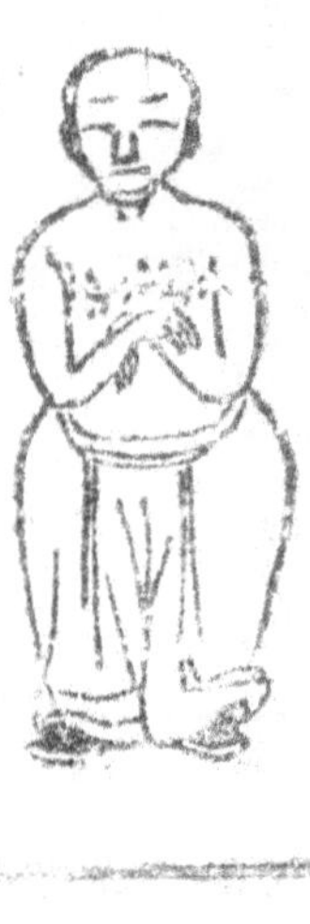

螻蛄[illegible]治法用鹽醋炒麸子拭之

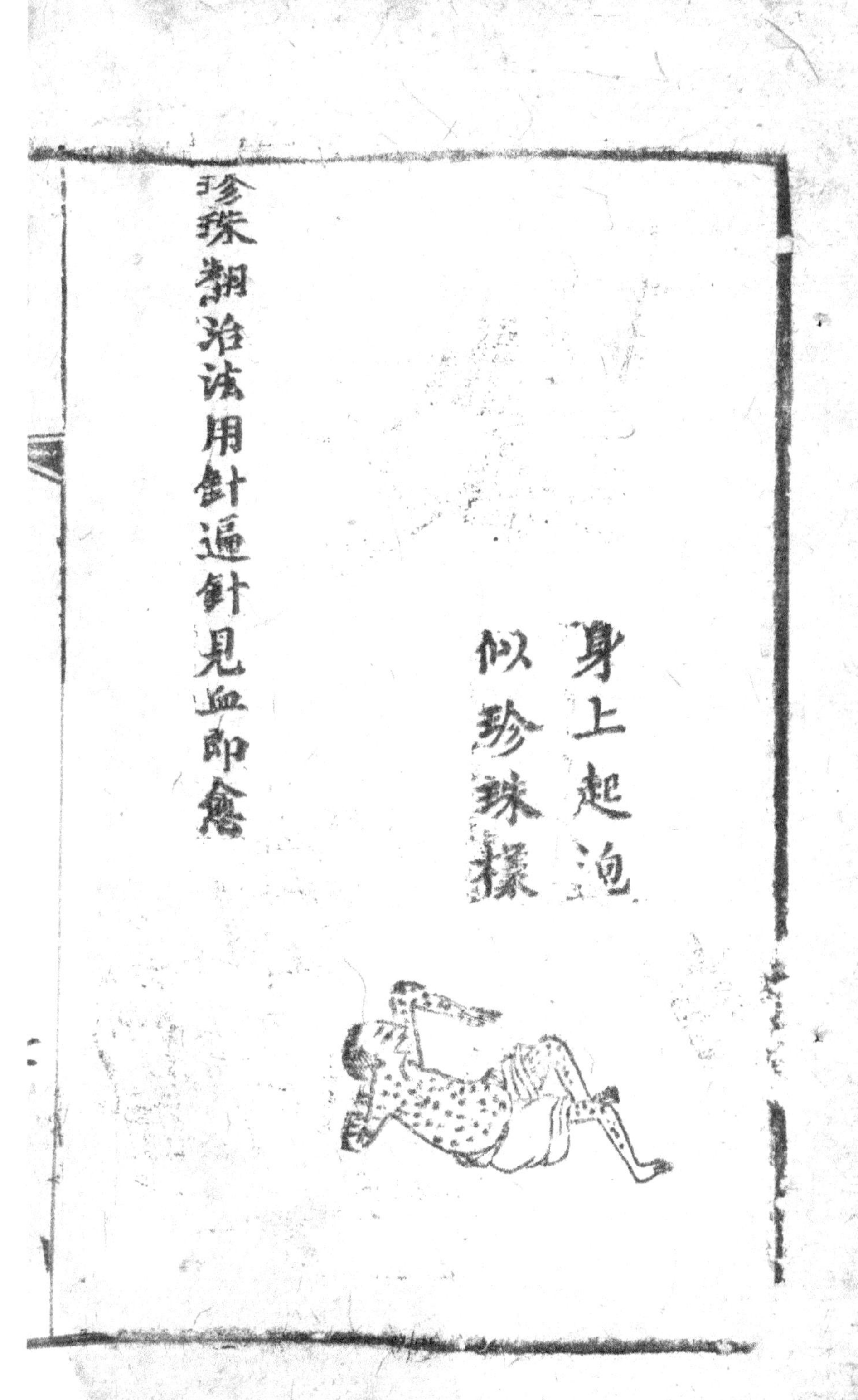
身上起泡
似珍珠樣
珍珠翻治法用針遍針見血即愈

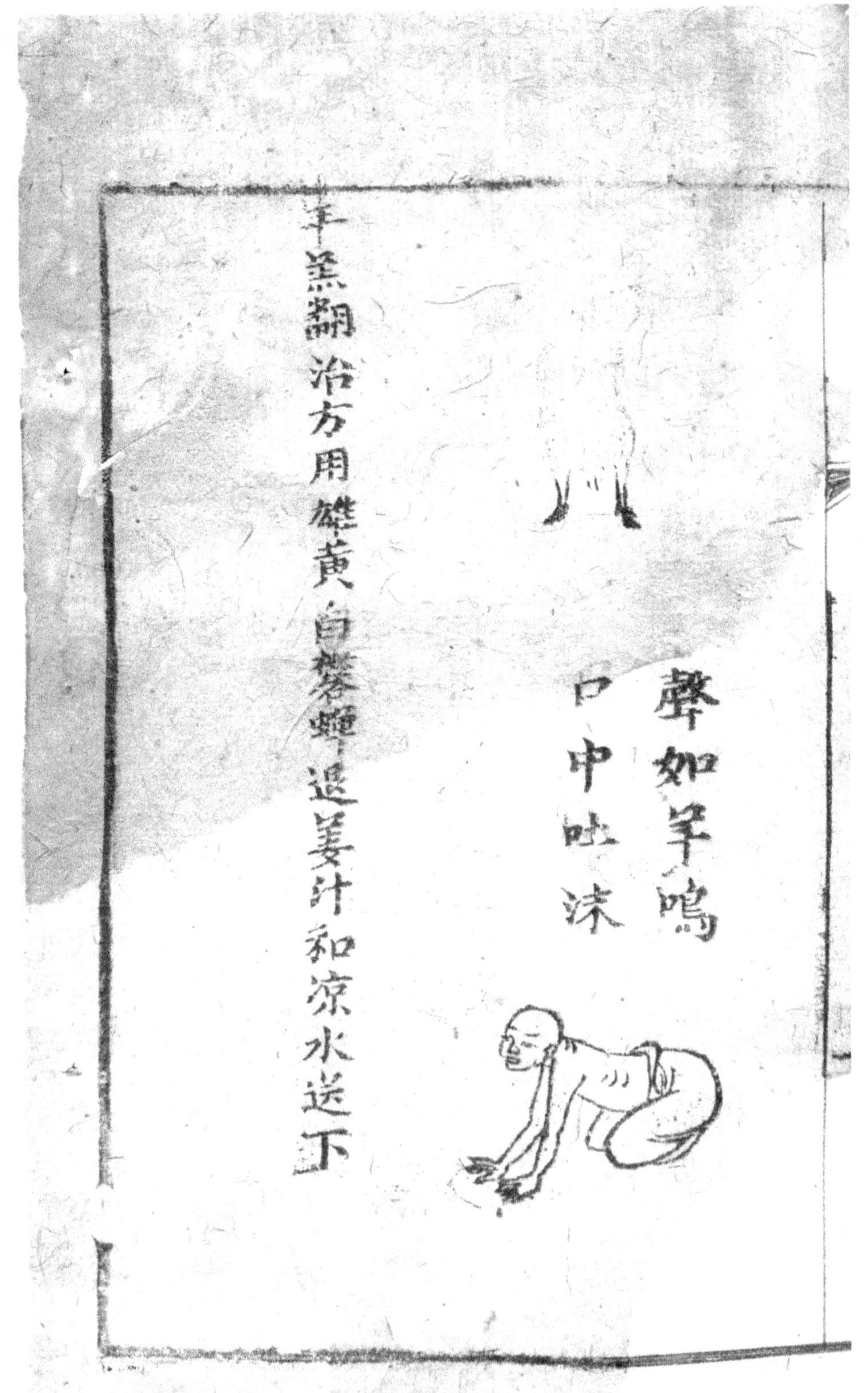
聲如羊鳴
口中吐沫
羊羔翻 治方用雄黃白礬蟬退姜汁和凉水送下

其症吭喘
四肢俱涼

馬翻治法用馬嚼環上生黃和黃酒送下即愈

偷心戰戰

舌下有紫疔

蛇曲驢糊治方用針刺破舌下紫疔烟油點之即愈

其症伸頭彎腰心疼兩鬓有紫筋

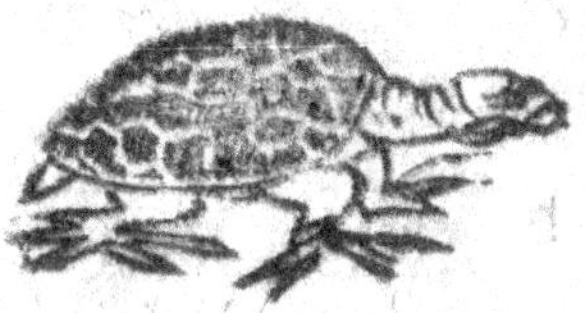

龜翻治法用針挑破紫以使過魚又上生黃点之即愈

其症聲如

牛鳴

牛頭翻治方用雄黄蟬退黑豆爲末和凉水送下

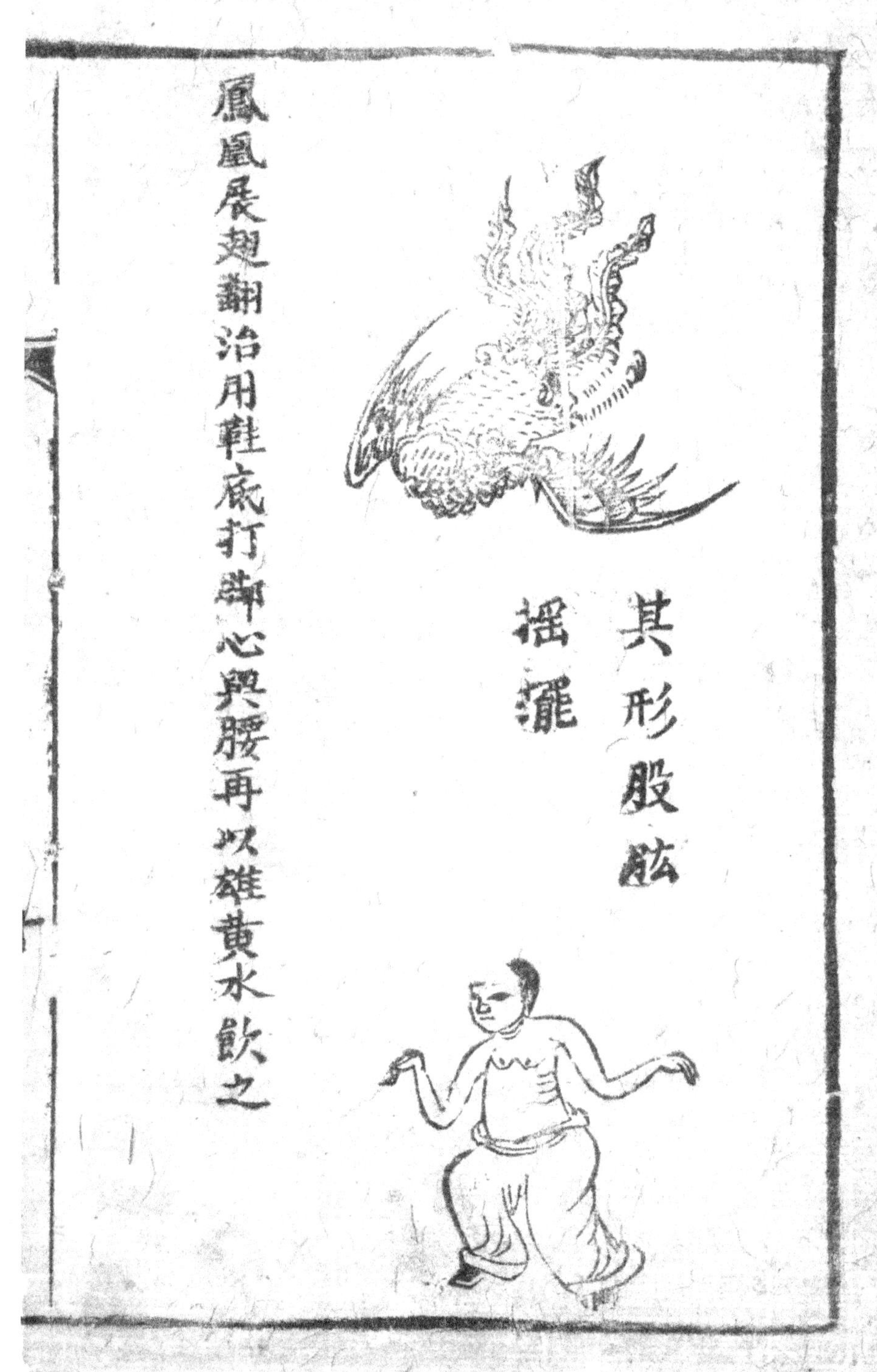
鳳凰展翅翻治用鞋底打脚心與腰再以雄黄水飲之
其形股肱
摇擺

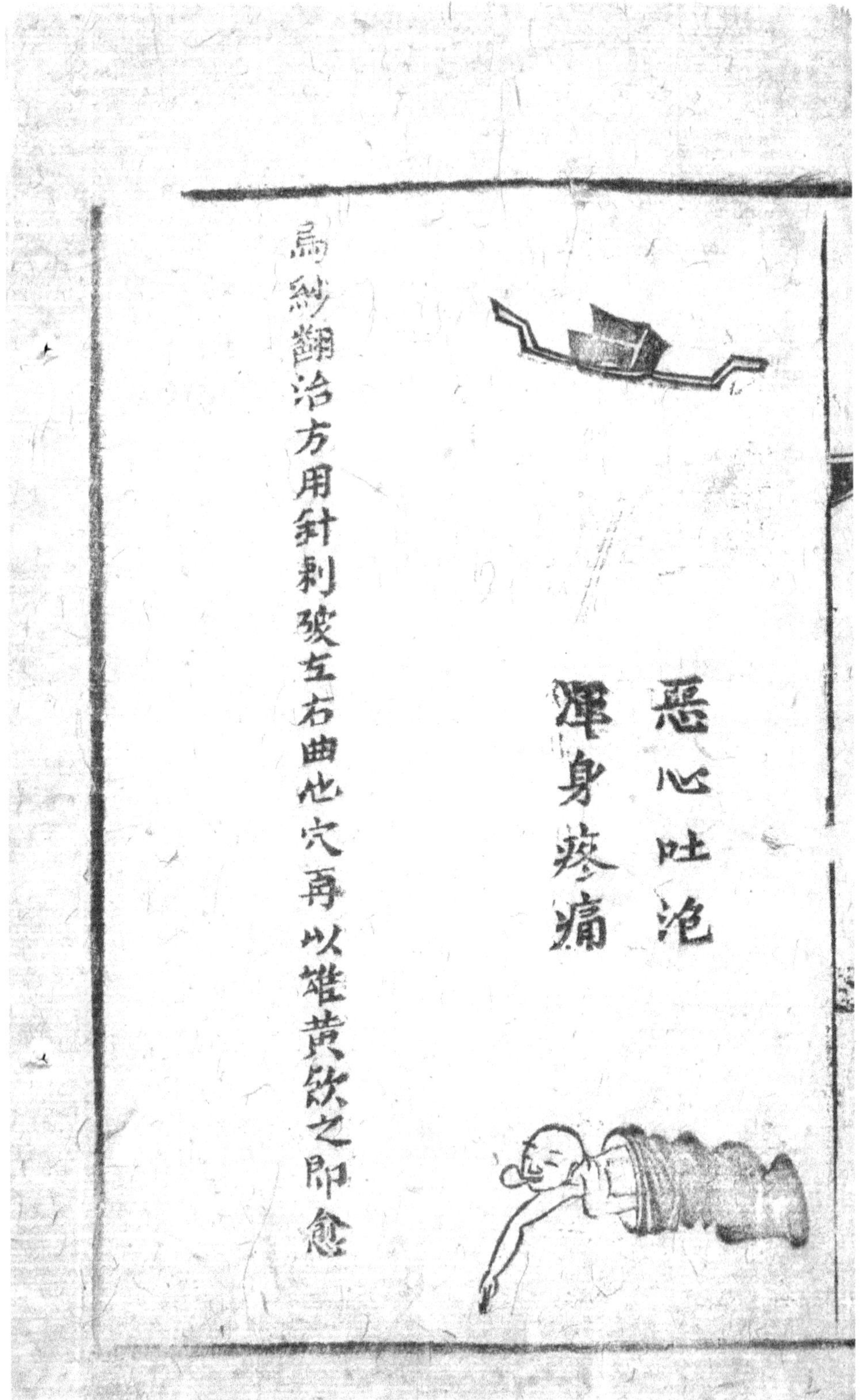

惡心吐沧
渾身疼痛

烏紗翻治方用針刺破左右曲池穴再以雄黄飲之即愈

其形吹氣
心慌不寧

吹氣翻治方用針刺天門一針如不好兩肩上三針前后心各一針即愈

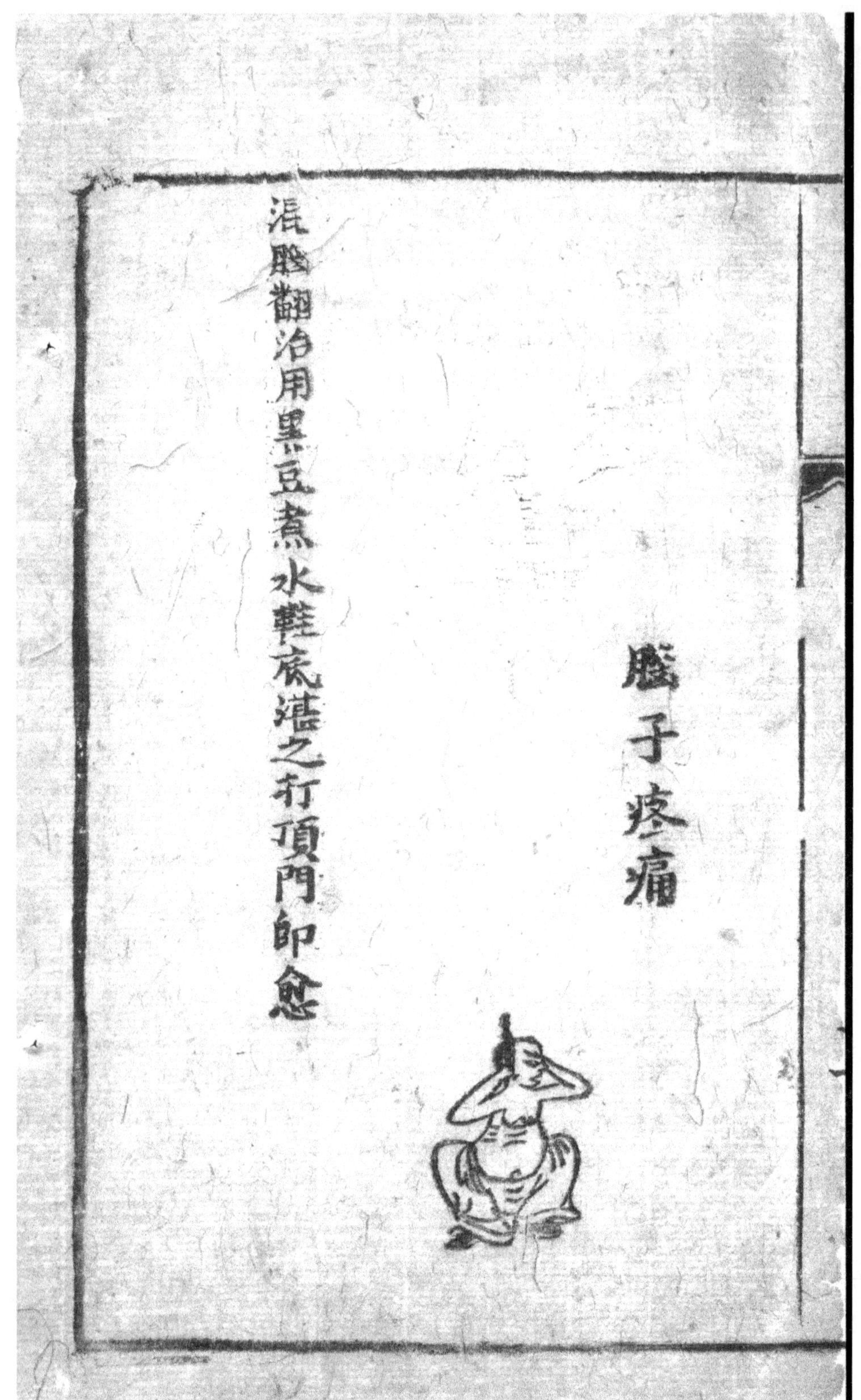

腦子疼痛

混腦翻治用黑豆煮水鞋底湛之打頂門卽愈

渾身刺撓

舌下有紫疔

撓癢翻治法用針刺破舌下紫疔出血即愈

十二

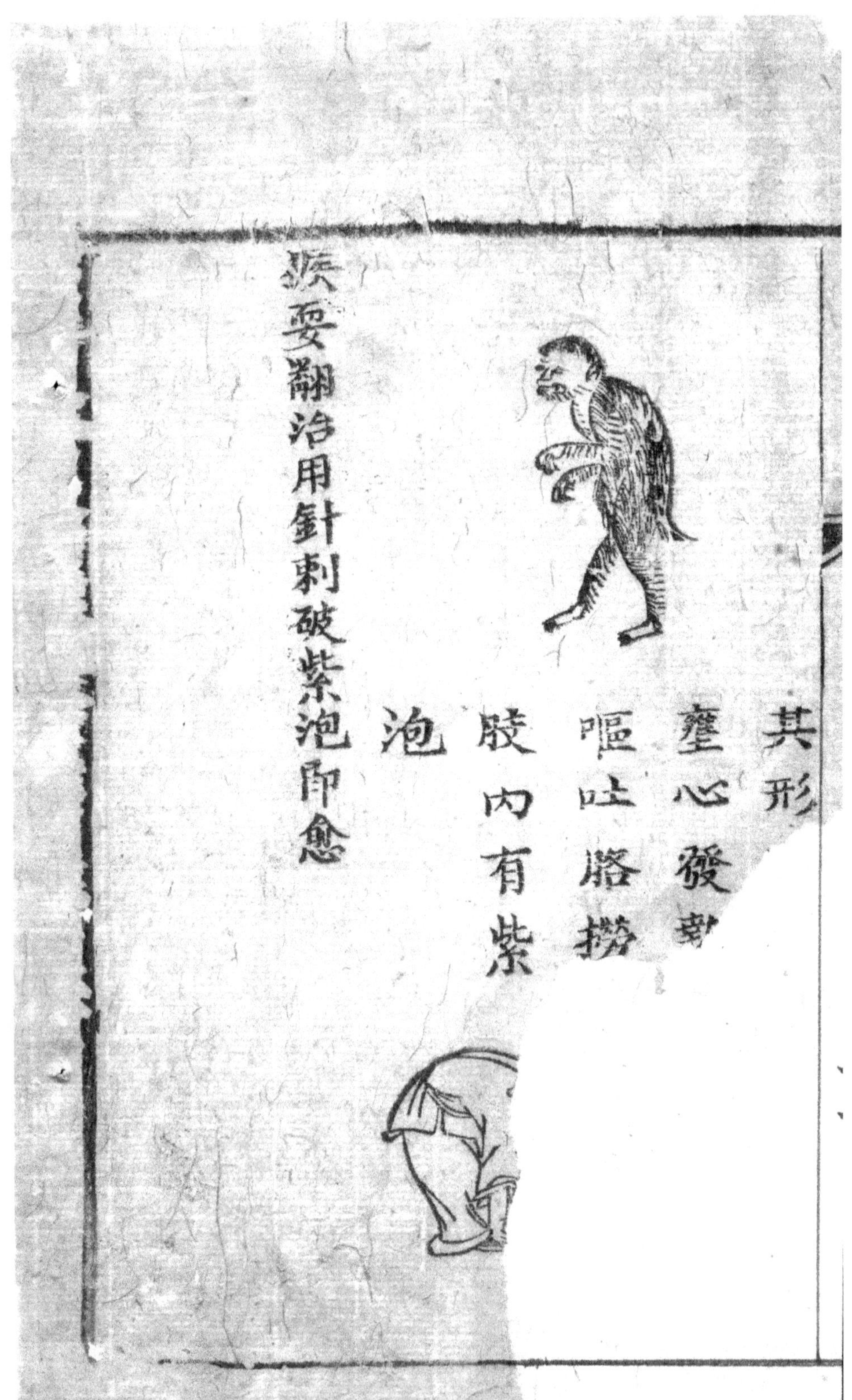

其形

癴心發熱

嘔吐胳撈

肢内有紫

泡

猴要翻治用針刺破紫泡即愈

耳涼伸腿
口不能張
騾子翻治法用曹氏食汁白表和黄酒陳醋灌之即愈

摇頭擺尾

此虫翻治　用針刺天門一針以使過鋤板上生黄連点三次即愈

心殺子方

亦具於此

肚脹頭疼

心翻前后

心有青黃

紫眼

纏絲翻治法用針挑破青黃紫等眼以醋搽之若渾身木無點者是心殺子也用針將手足腕挑破妙

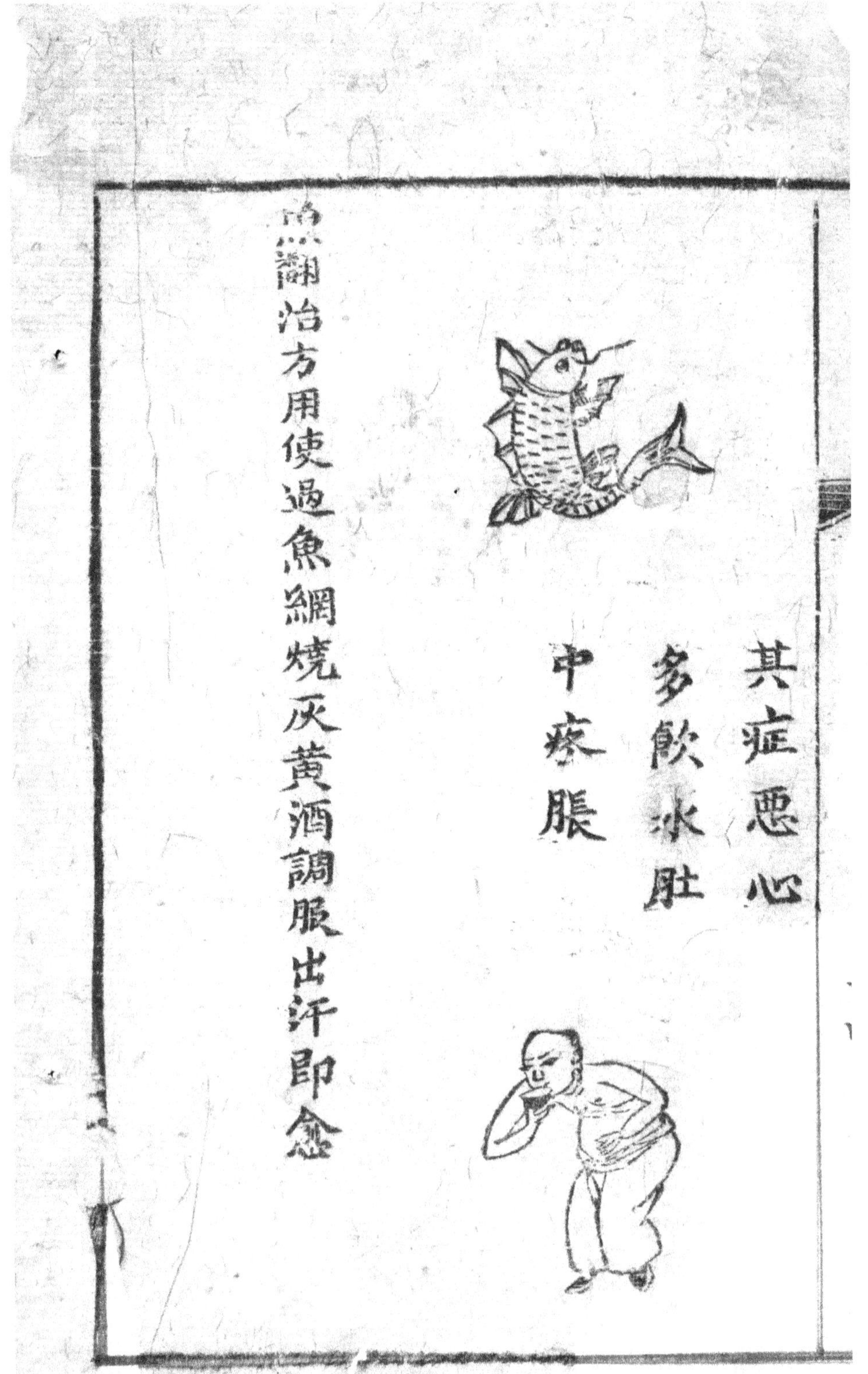
其症惡心
多飲冰肚
中疼脹
魚調治方用使過魚網燒灰黃酒調服出汗即愈

血流不止

[illegible]枆炉為細末黃酒送下即愈

活人筋人指甲包血餘

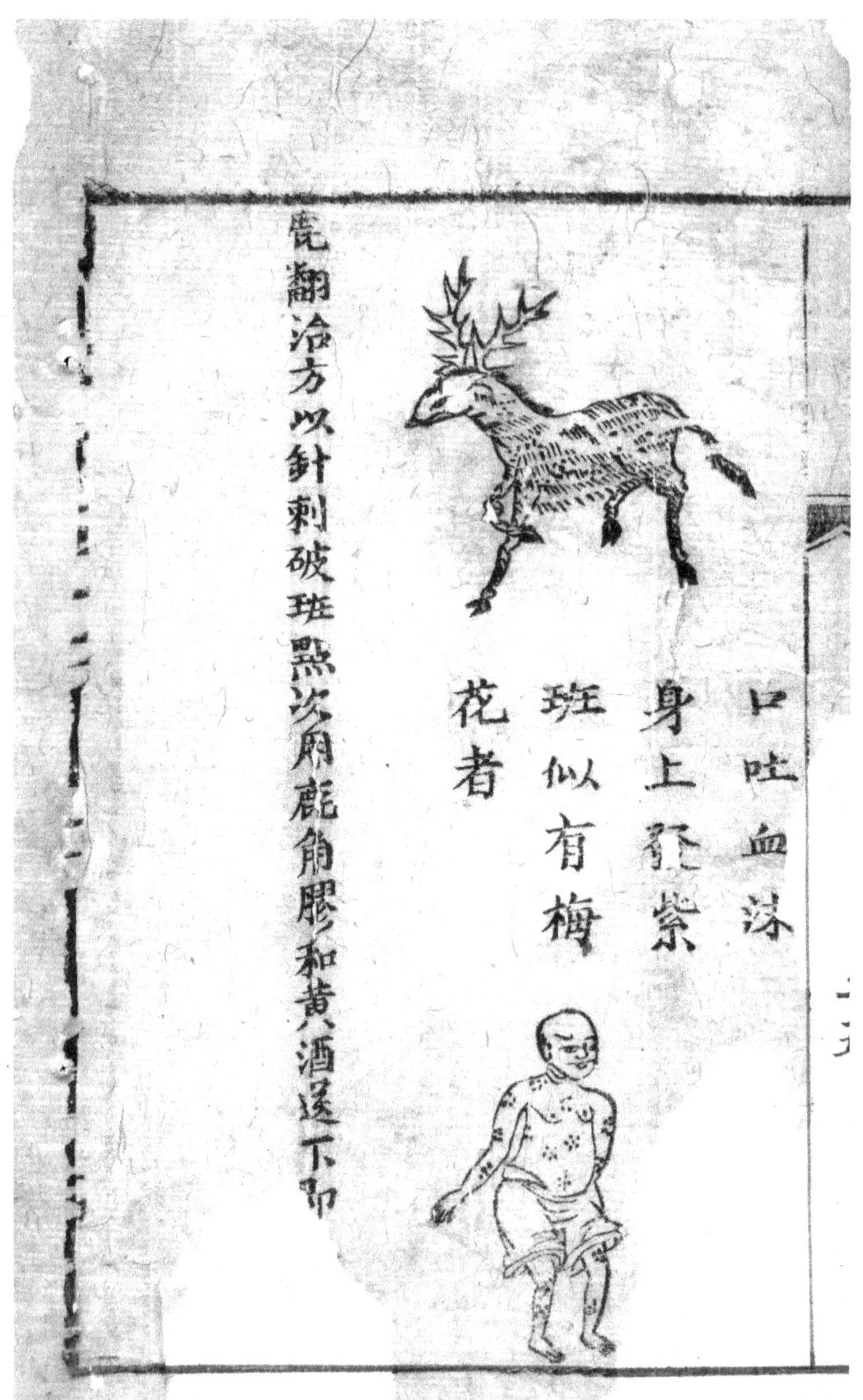

口吐血沫
身上發紫
斑似有梅
花者

鹿翻治方以針刺破斑點次用鹿角膠和黄酒送下即

如卧牛然

口發白沫

耳后有紫

疔

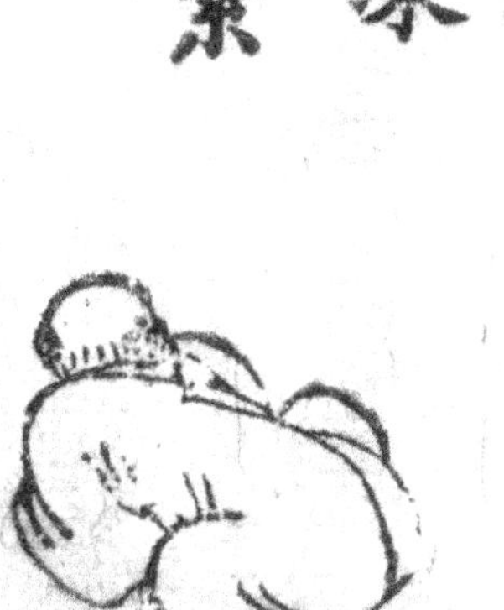

駱駝翻治法用針刺破紫疔以乾牛糞燒灰[illegible]

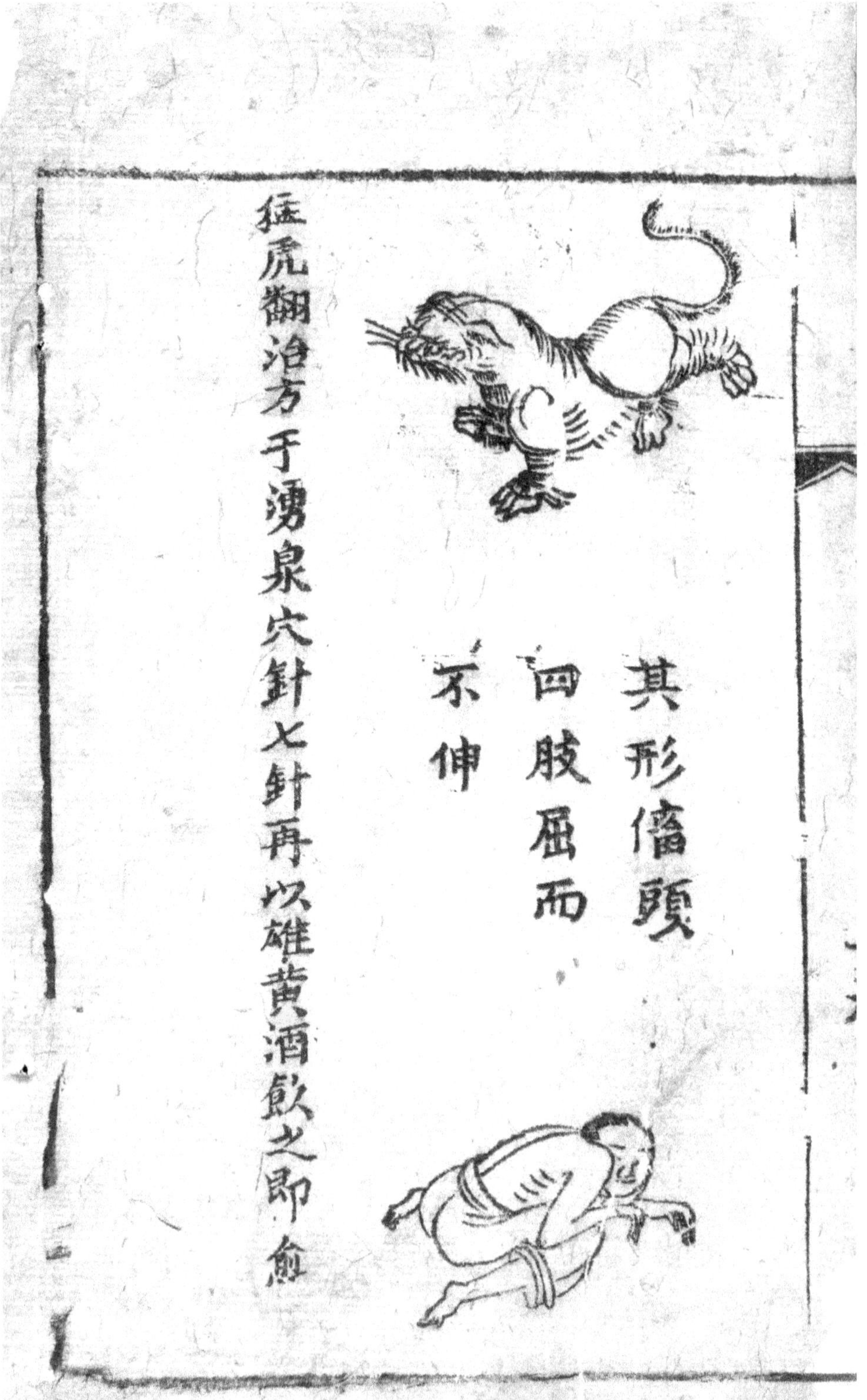
其形僵頭
四肢屈而
不伸
猛虎翻泊方于湧泉穴針七針再以雄黄酒飲之即愈

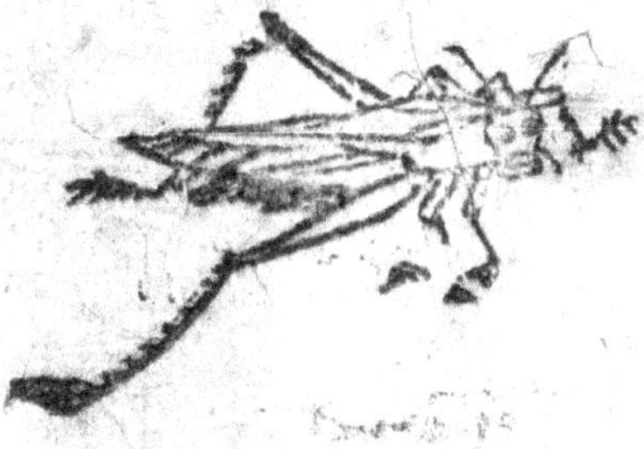

兩腿戰〻
不能舒展
惡心心翻

虮蜡翻治方用虮蜡煆黄為末黄酒送下即愈

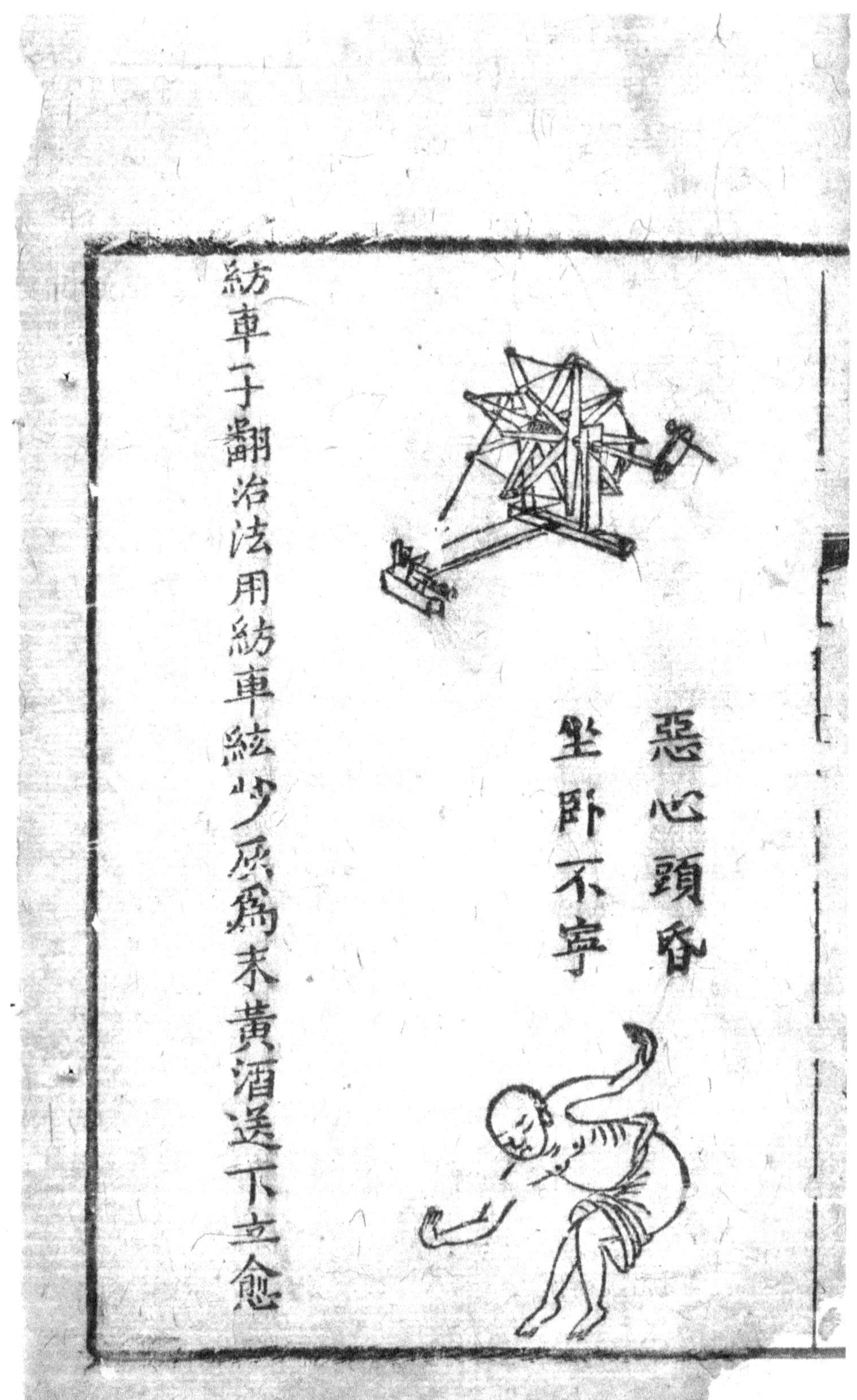

惡心頭昏
坐卧不寧

紡車一付翻治法用紡車絃少許爲末黃酒送下立愈

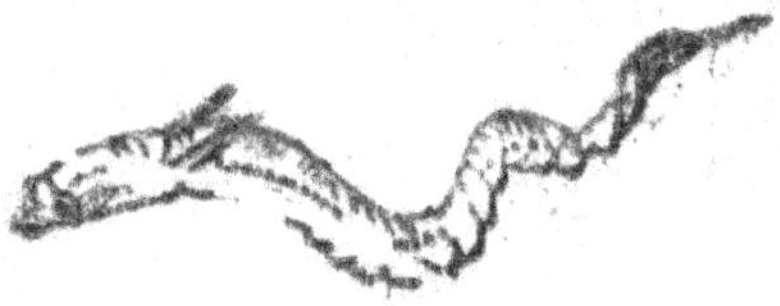

就地打滚
小腸疼痛
肚脹

地龍翻治法用油捻子燒灰黄酒送下立愈

心疼

九種心疼治用槐肉煅黄爲末陳醋爲丸如綠豆大每服八九丸白水送下

先腫頭
次腫腿
后腫腰

四翻治方用桑葉燒水遍身洗之再以蓑草燒灰和桑葉水飲之立愈

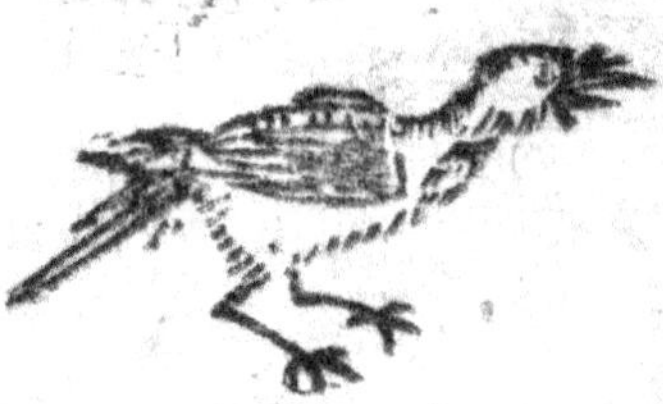

其症如黃昏時不能見物

雀目[illegible]治方用苜蓿根燒水飲之

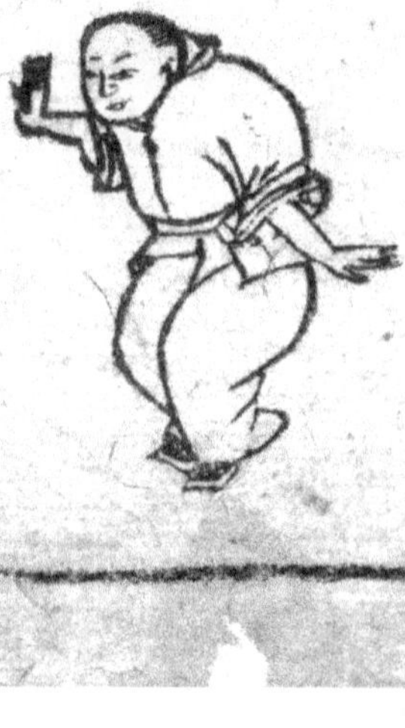

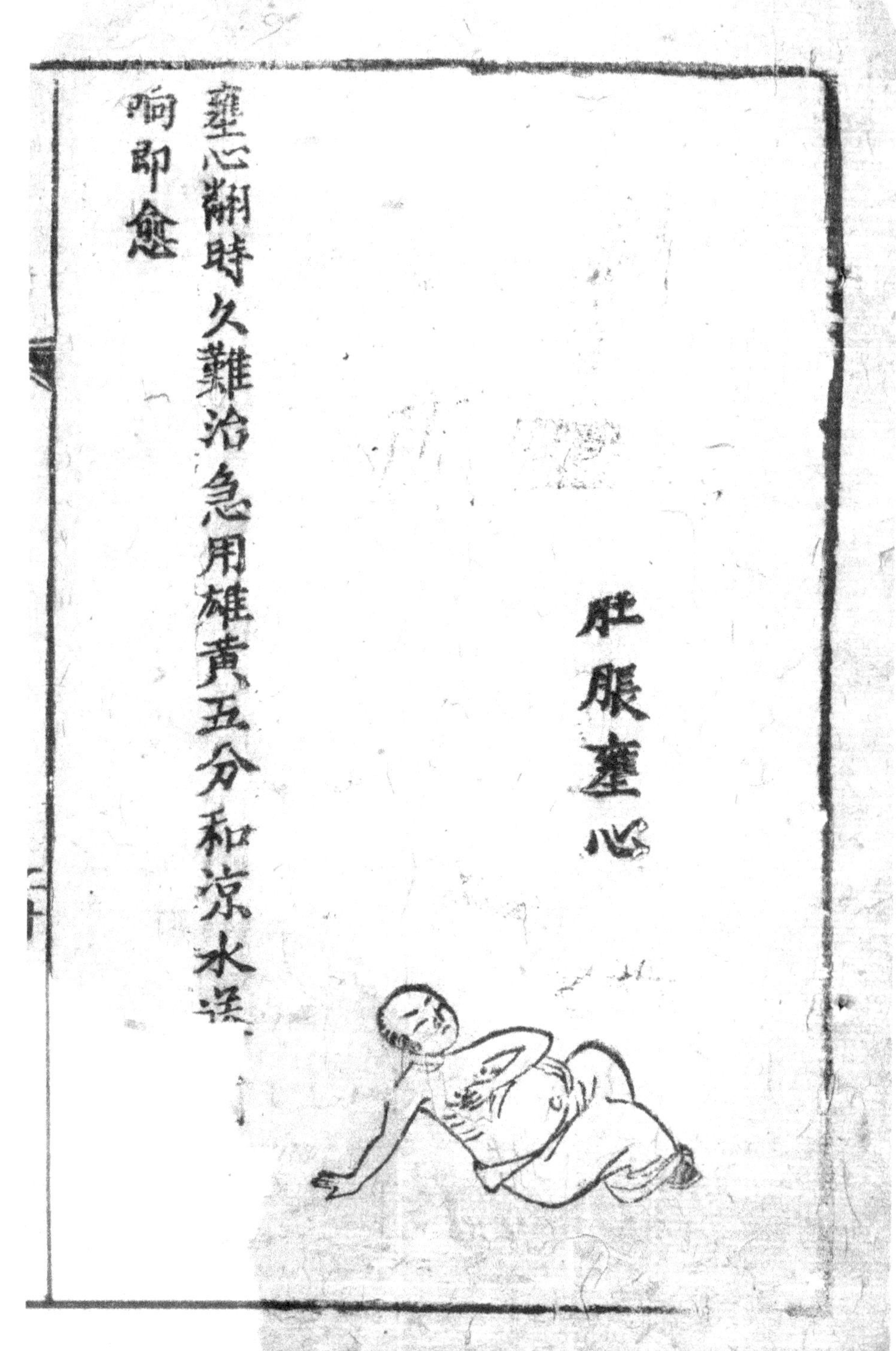
肚脹塞心
塞心糊時久難治急用雄黃五分和涼水送
咽即愈

腦疼痛心
上吐下瀉

頂殺脹治法用涼水打頂門即愈

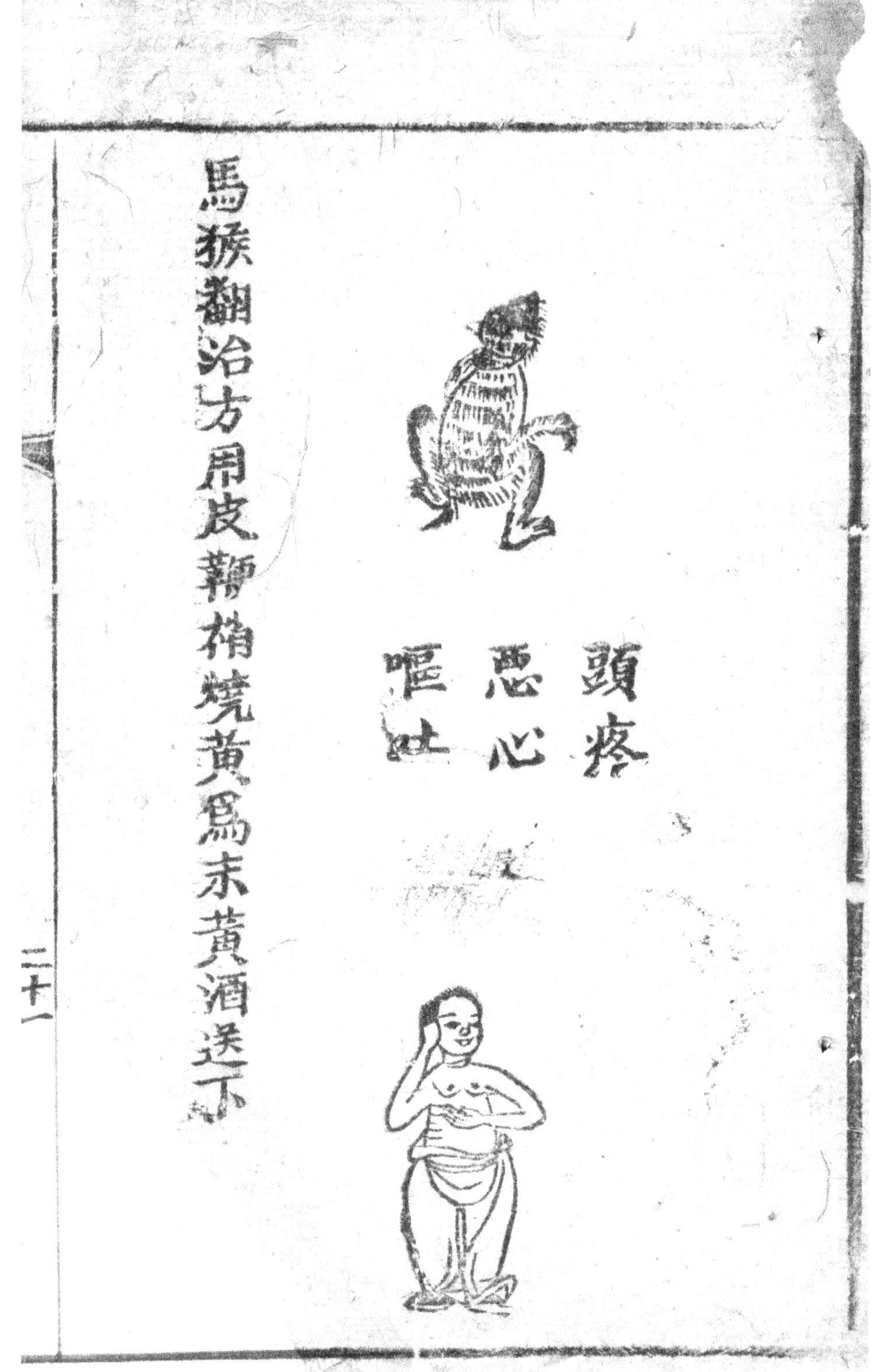
馬猴翻治方用皮鞭梢燒黄爲末黄酒送下
頭疼
惡心
嘔吐
二十一

其症仰鵨
四肢俱凉
渾身戰了

斑鳩鵨治方用斑鳩窩一二根燒灰黃酒送下

其形兩手在口撈摸

刔刀翻治方用老鸛鼻丿燒爲細末和黃酒飲之

二十二

腦子疼痛
臉發紅色

遊頂珠翻日久難治用棗樹上老鵝鼻上焙黃爲末黃酒送下即愈

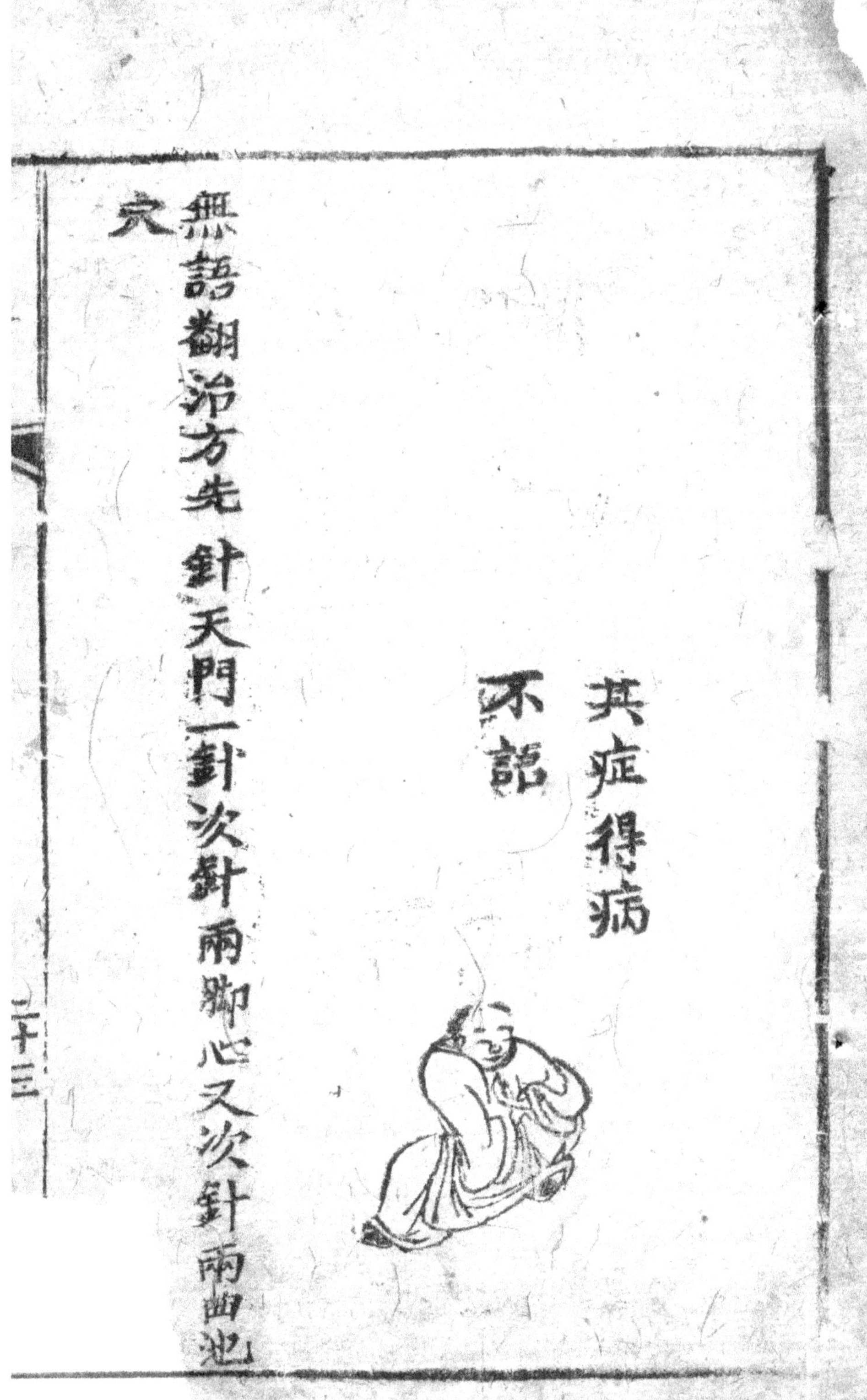

其症得病不語

無語翻治方先針天門一針次針兩腳心又次針兩曲池穴

二十三

血攊心

血攊心七日攊脘或痛針舌根身下前后打即愈又方用萊菔末黄酒下又舌下有黑泡針破雄黄点之前后心輕〻打出紅黑圈即愈

其症頭揺
肚臍邊有
泡發獄色

栁皮疔一日即治用針刺破以栁疔燒黃爲末点之久則越長越大難治

其症飲食時即聞腥氣

血腥抹心舌下有紫疔刺破出血雄黃點之如不愈細看步腿窩內有紫泡針破即愈

病者流鼻
心疼時迷

象翻治方用針挑兩肩肚采出血雄黄点之

二十五

其症心荒
頭痛渾身
起大泡

獅子翻治方用針刺破大泡雄黃点之用鹽醋水飲之

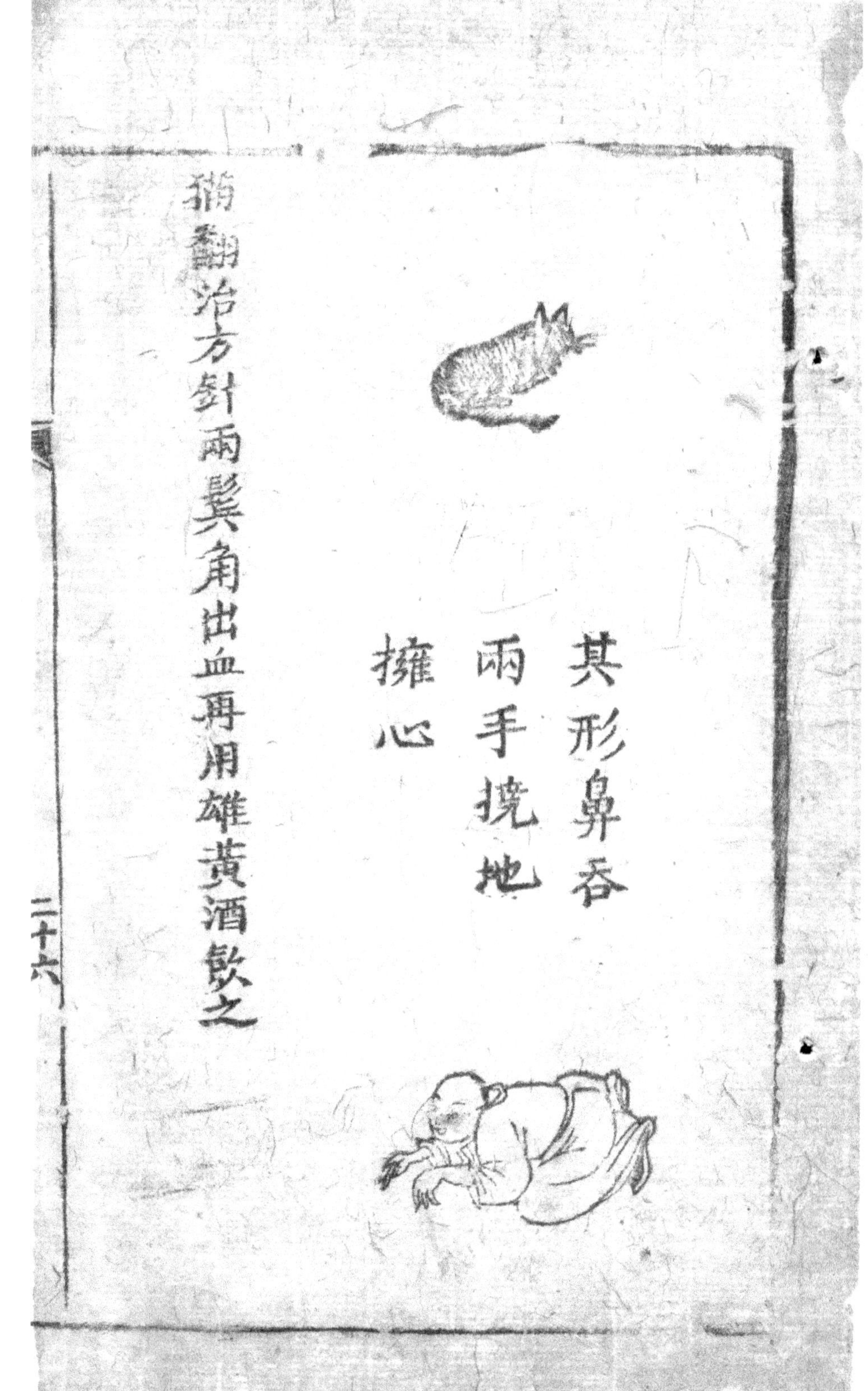
其形鼻吞
兩手撓地
擁心
猪翻治方針兩鬢角出血再用雄黃酒飲之
二十六

脖子或胸前起如老鼠瘡形

老鼠翻治法用猫前爪使石灰炒黄爲末香油和搽

惡心舌根

强硬嘔吐

不止舌下

有紅疔

老鵶翻治方針破紅疔用火藥点之治同老鵶

長身
伸脖
鵞翻治方用鵞尖三根燒水飲之即愈

撅嘴心疼
昏迷
鷹翻治法用針刺膊彎腿彎出血以雄黄点之

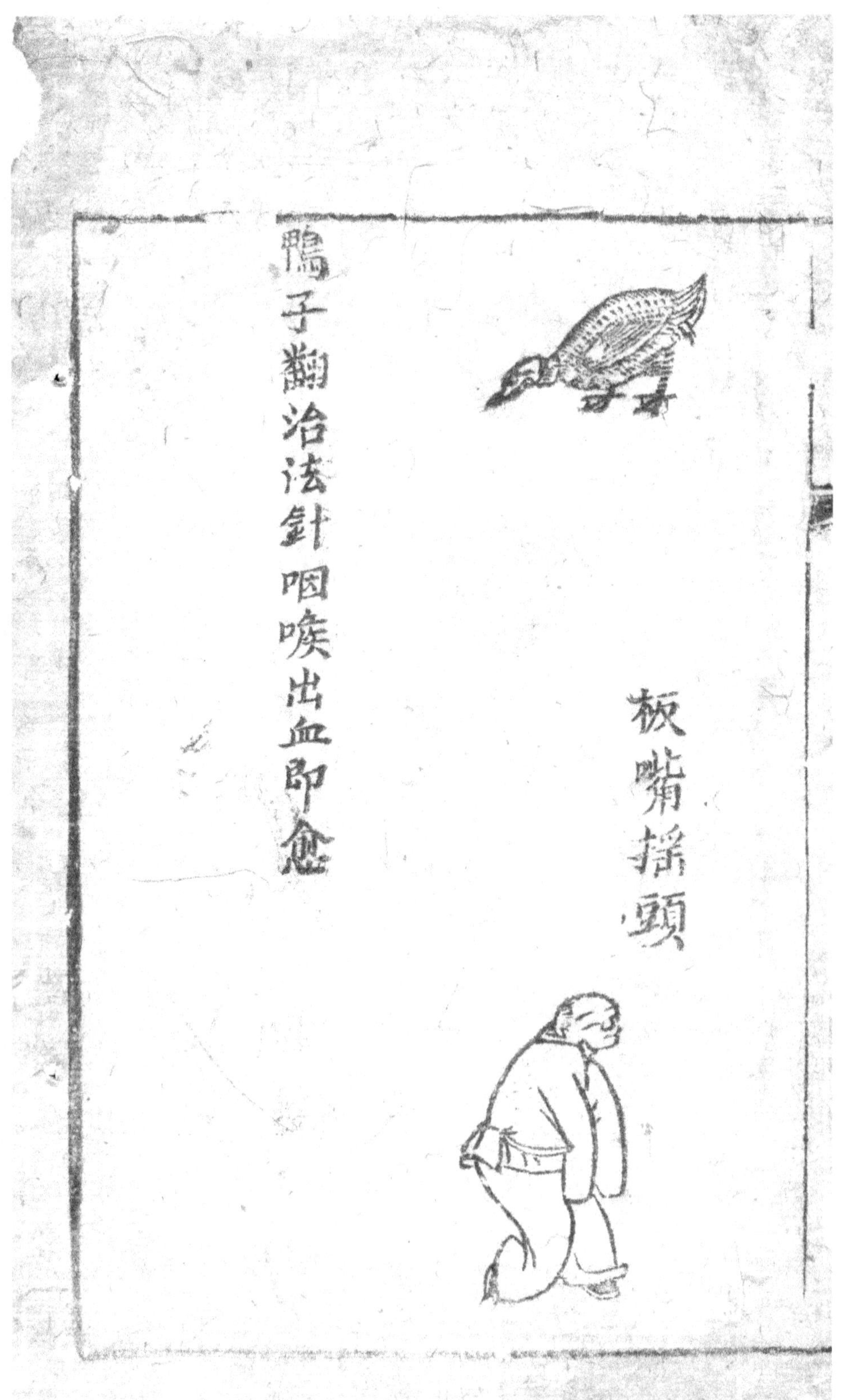
鴨子𤸫治法針咽喉出血即愈
板嘴摇頭

形如病鷄
心荒不寧
鷄子翻用鷄內金炒黃爲末酒送下
二十九

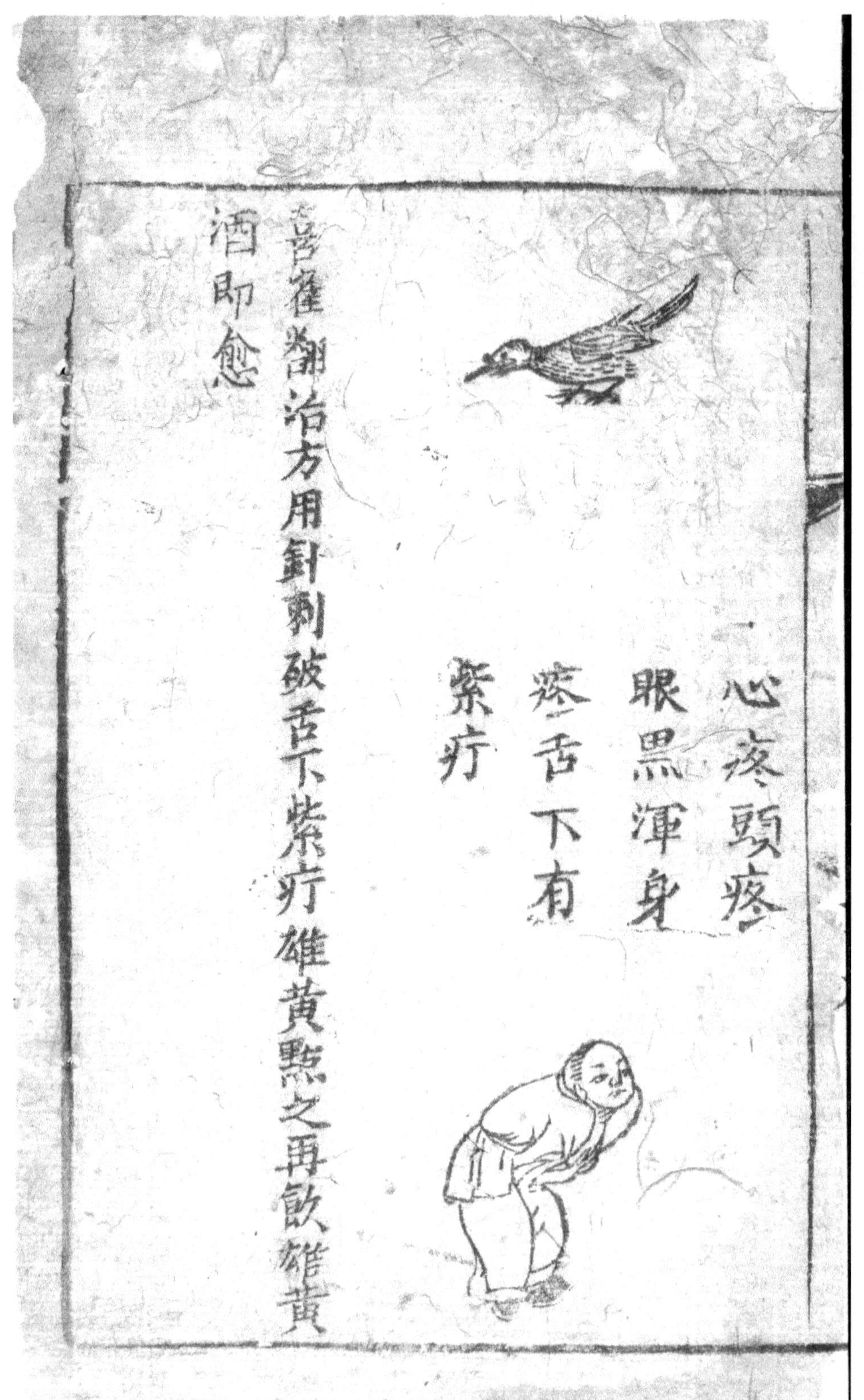

一心疼頭疼眼黑渾身疼舌下有紫疔

喜雀翻治方用針刺破舌下紫疔雄黃點之再飲雄黃酒即愈

聲如鵪鶉

舌下有紫

疔

鵪鶉翻治方用針刺疔出血以鵪鶉網燒灰黃酒送下

三十

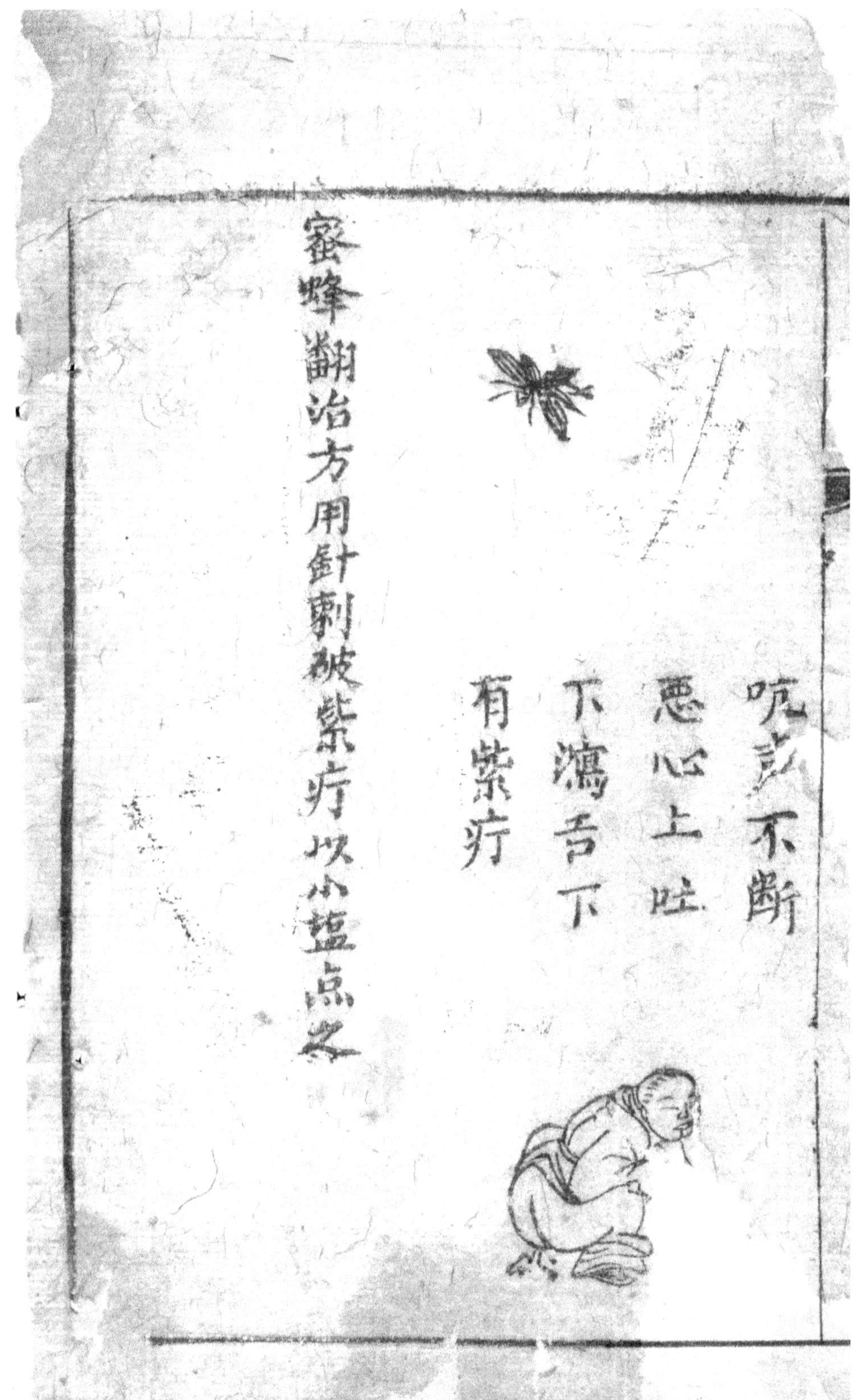

吭声不断
恶心上吐
下瀉舌下
有紫疔
蜜蜂翻治方用針刺破紫疔以小盐点之

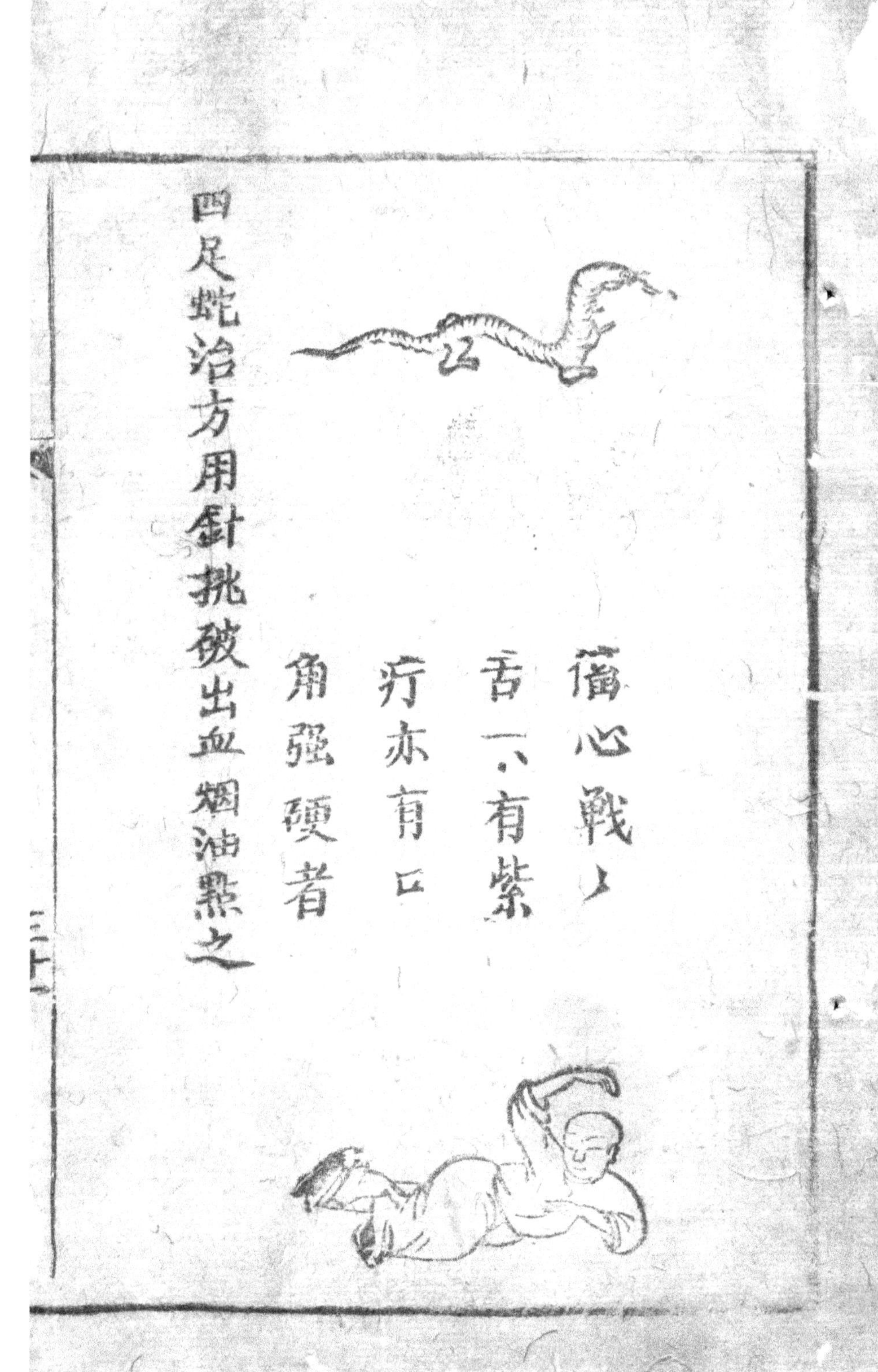

循心戰人
舌下有紫
疔亦有口
角強硬者
四足蛇治方用針挑破出血烟油點之

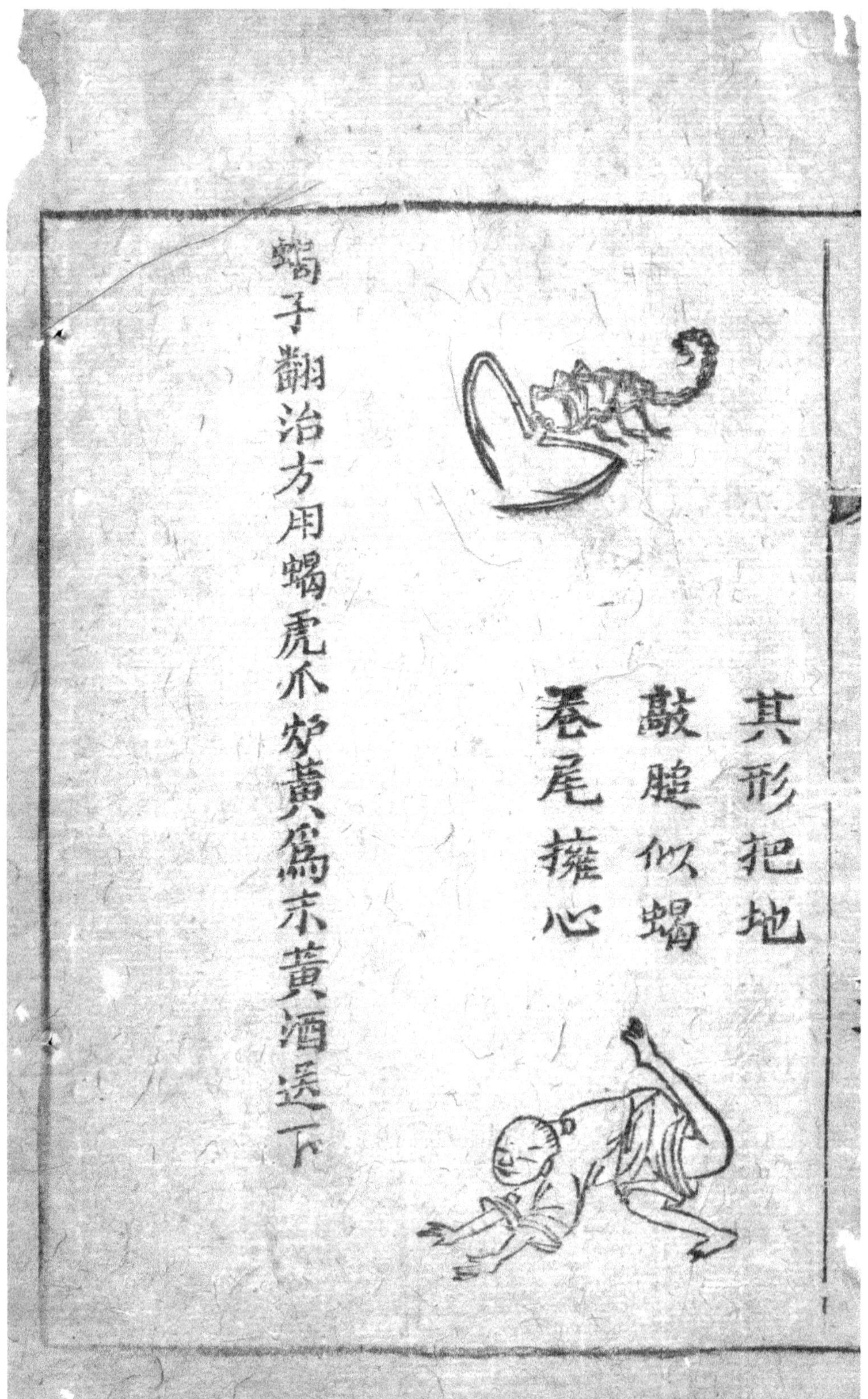

其形把地
敲腿似蝎
卷尾擁心

蝎子翻治方用蝎虎爪炉黄爲末黄酒送下

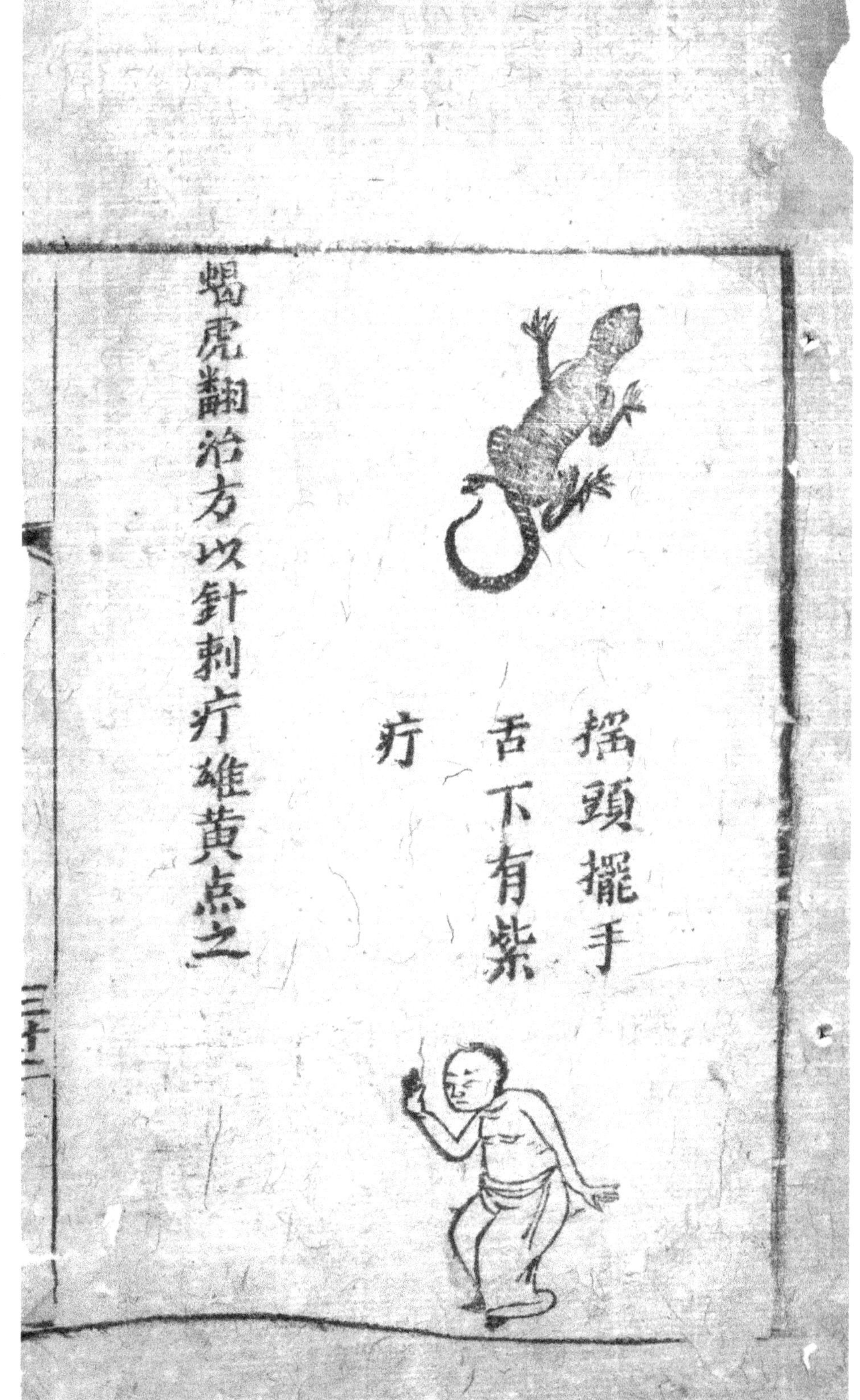
搖頭擺手
舌下有紫
疔
蝎虎翻治方以針刺疔雄黃点之
三十二

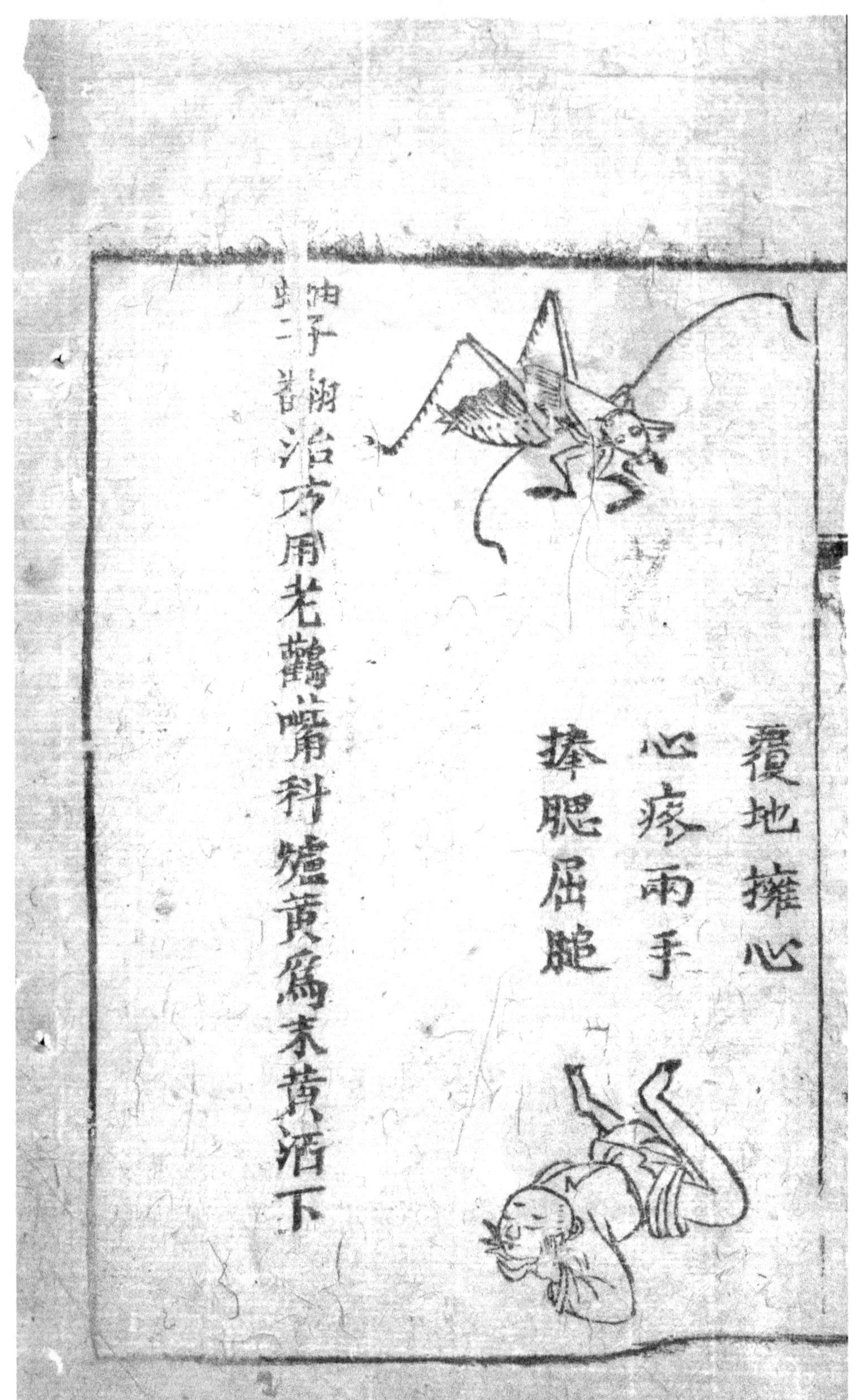
覆地擁心
心疼兩手
捧肥屈腿
蚰子痧治方用老鸛嘴科爐黃爲末黃酒下

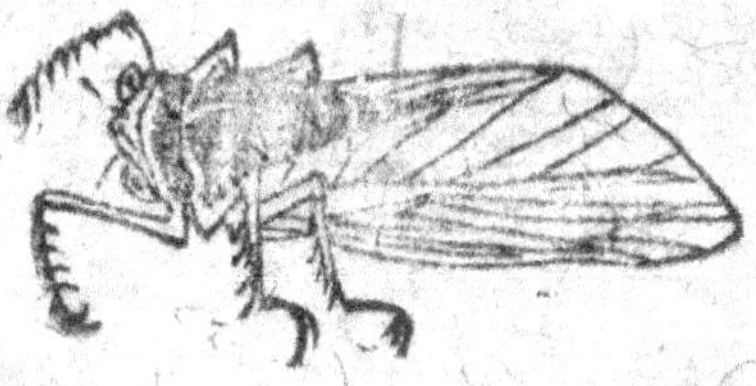

四肢筋青

腦抹勾后

有紫筋

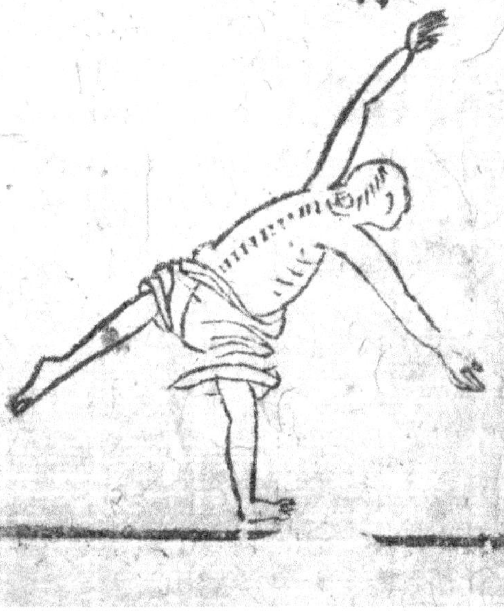

秋蟬翻治方以針刺破紫筋用老鶴嘴炉黃爲末點之

三十三

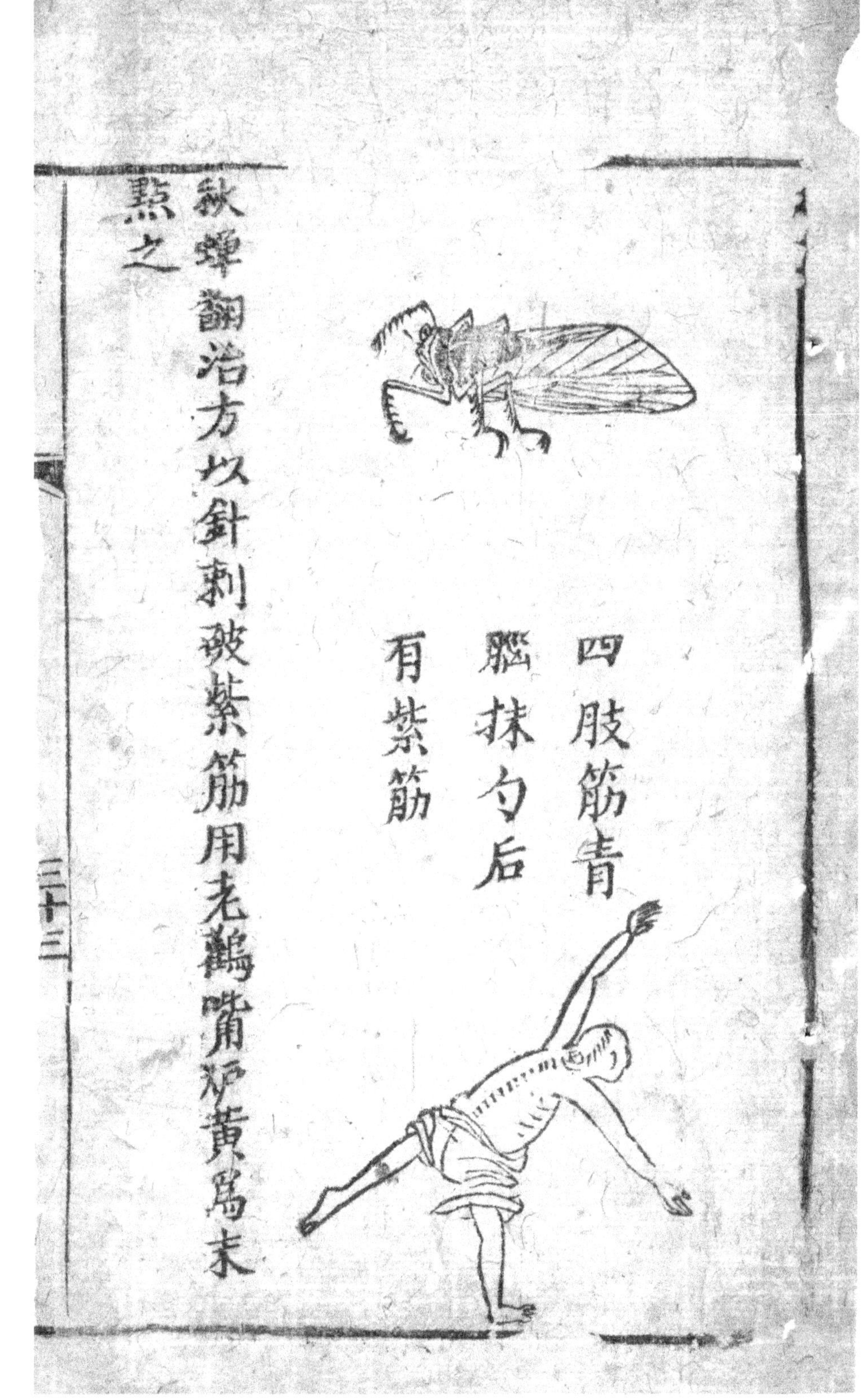

搖頭擺尾
上吐下瀉
蚯蚓翻治方用蚯蚓糞和黃酒送下

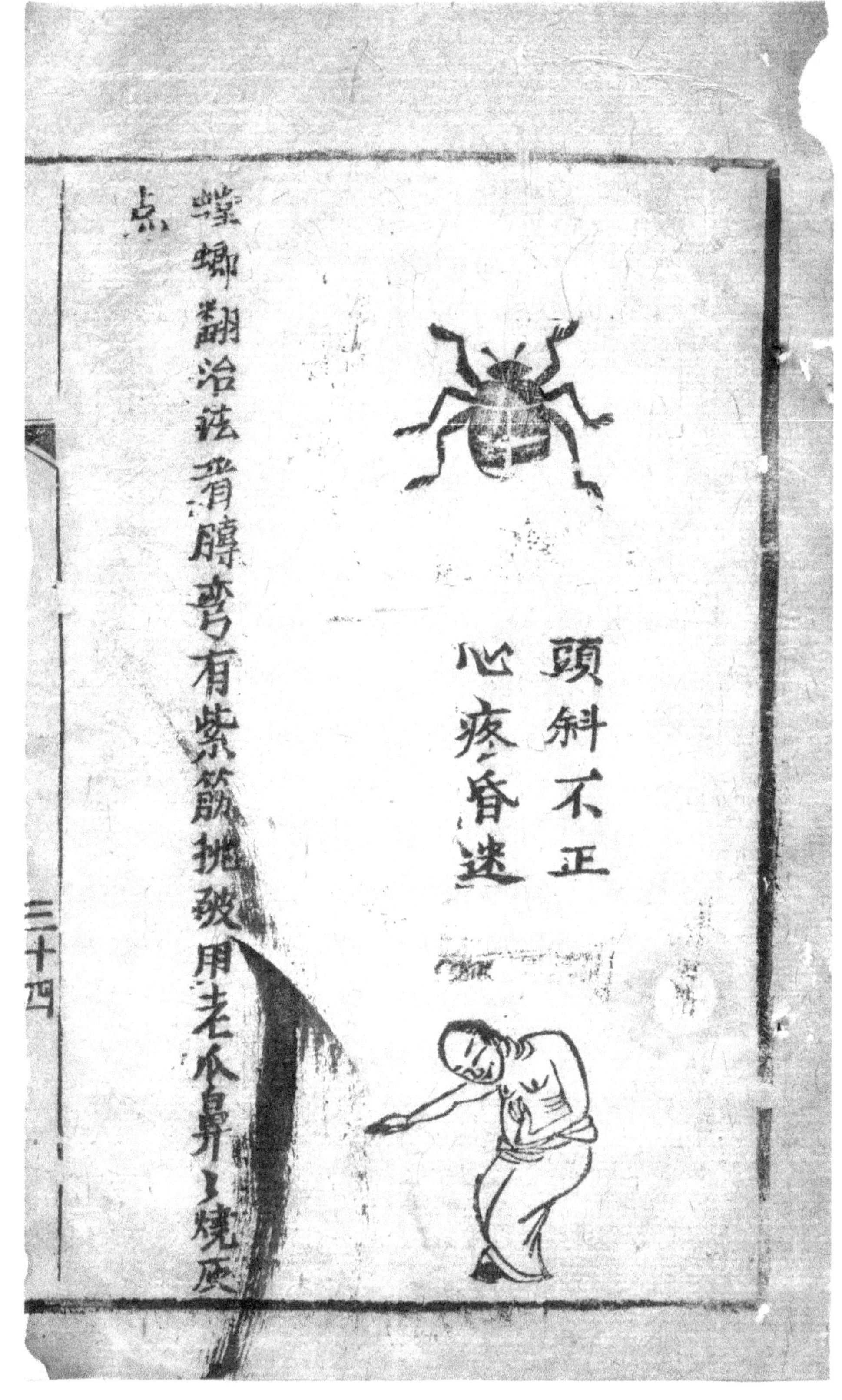
頭斜不正
心疼昏迷
螳螂翻治法背膊彎有紫筋挑破用老爪鼻子燒灰
点
三十四

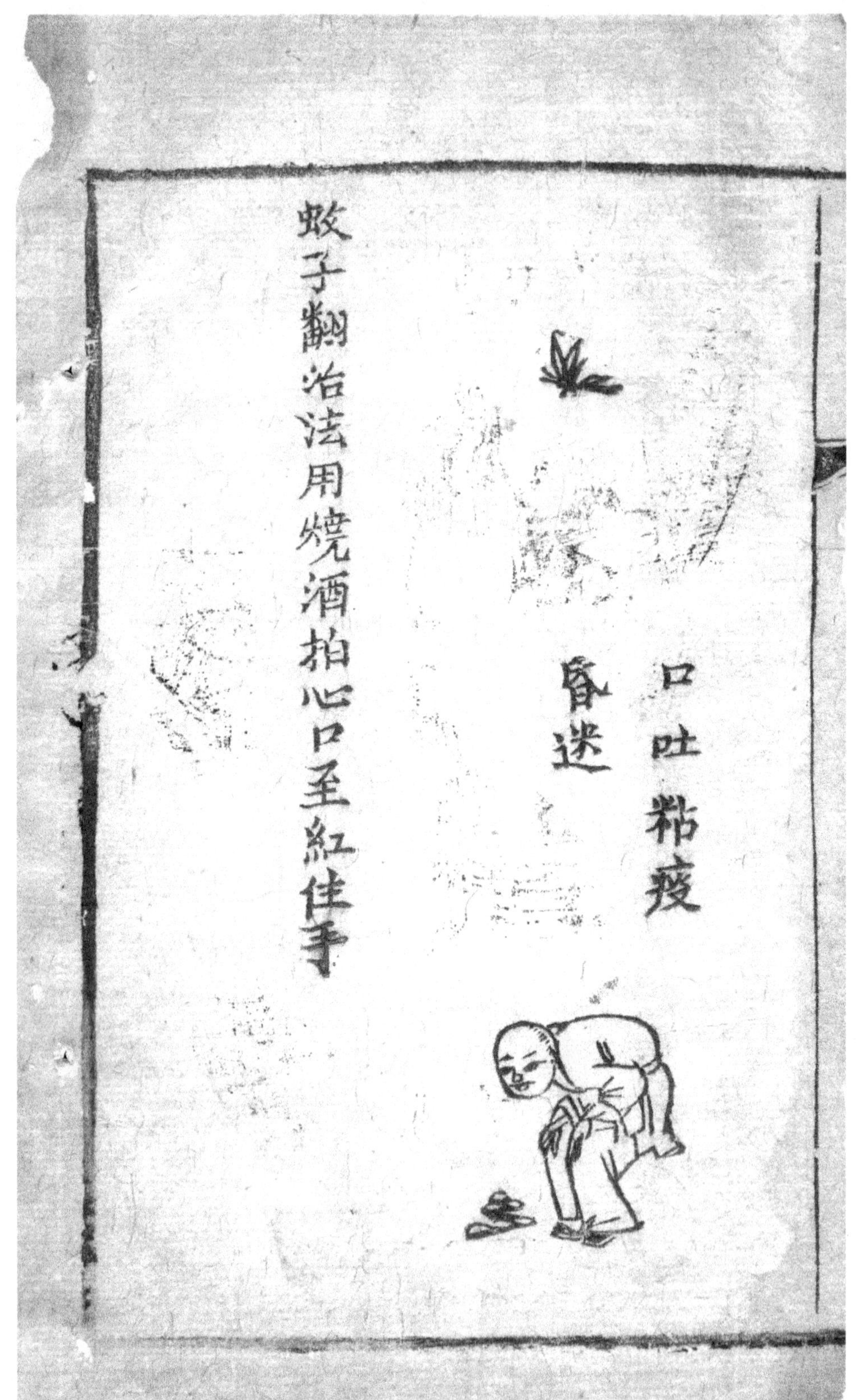
口吐粘痰
昏迷
蚊子翻治法用燒酒拍心口至紅佳手

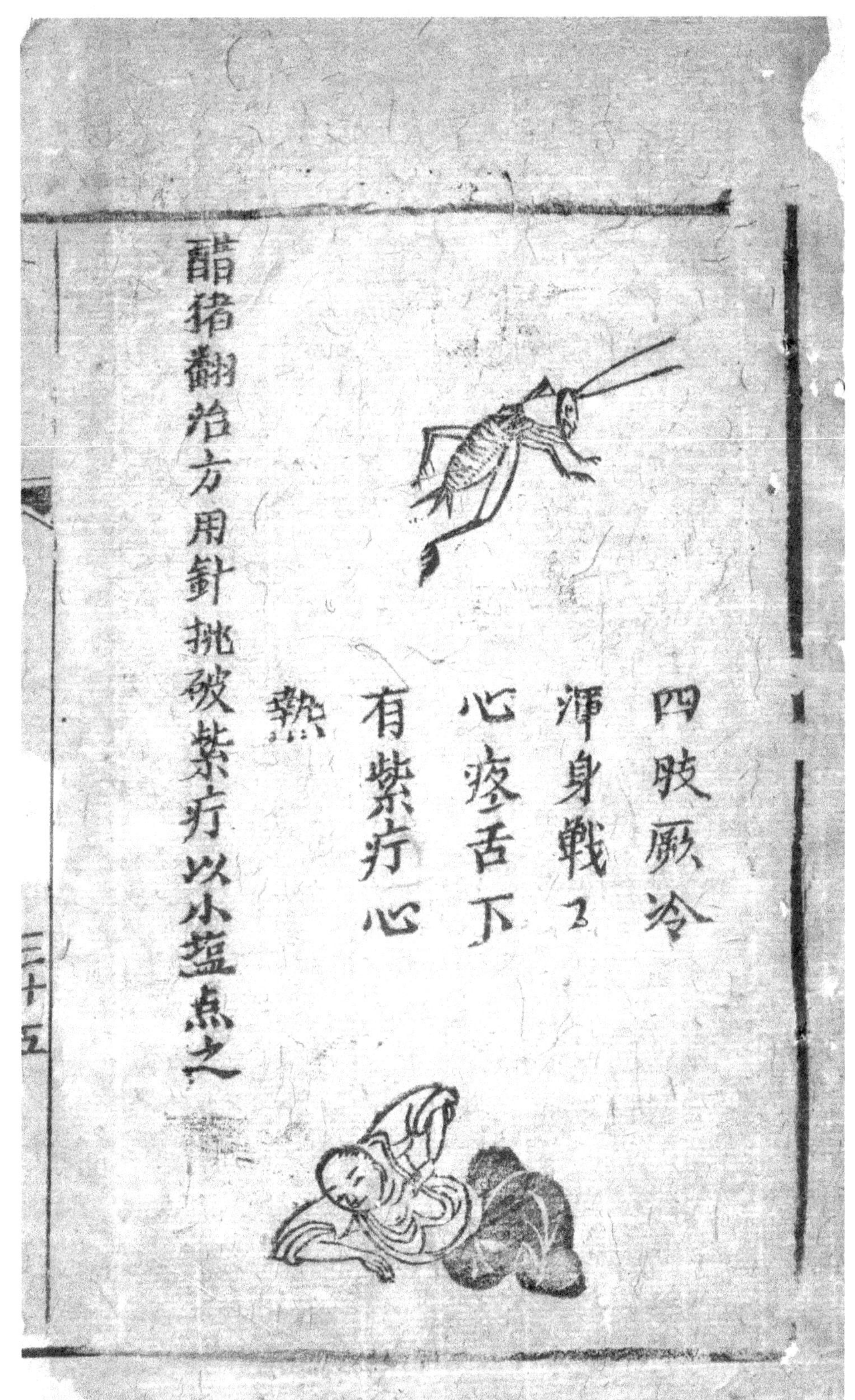

四肢厥冷
渾身戰ヌ
心疼舌下
有紫疔心
熱

醋猪翻治方用針挑破紫疔以小盞点之

三十五

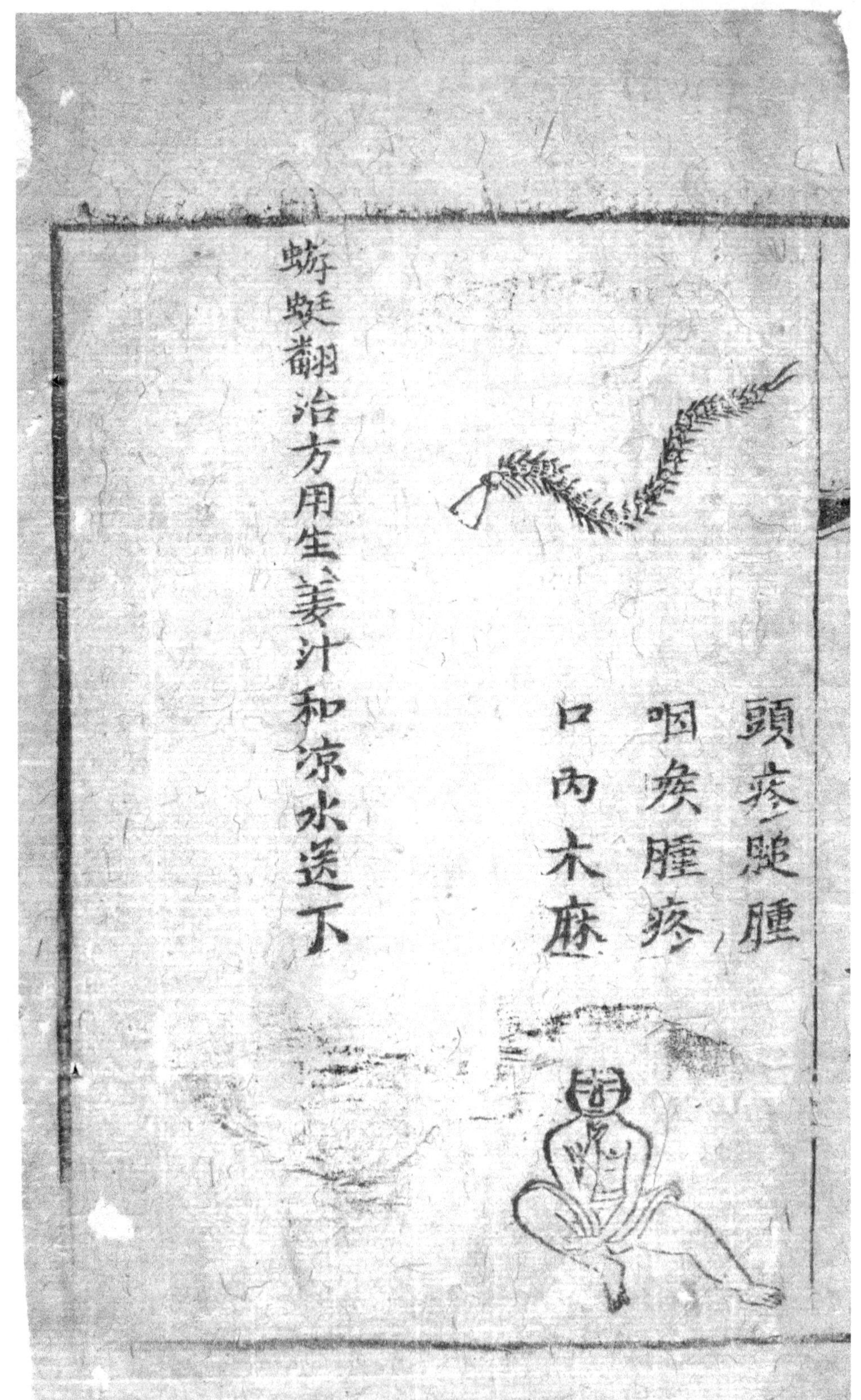
頭疼腿腫
咽喉腫疼
口內木麻
蝣蜓翻治方用生姜汁和涼水送下

其人自言脩々又言頭有桃朝大

脚魚翻治方或曰打破出血稍愈又曰打脚心其人云鱉之

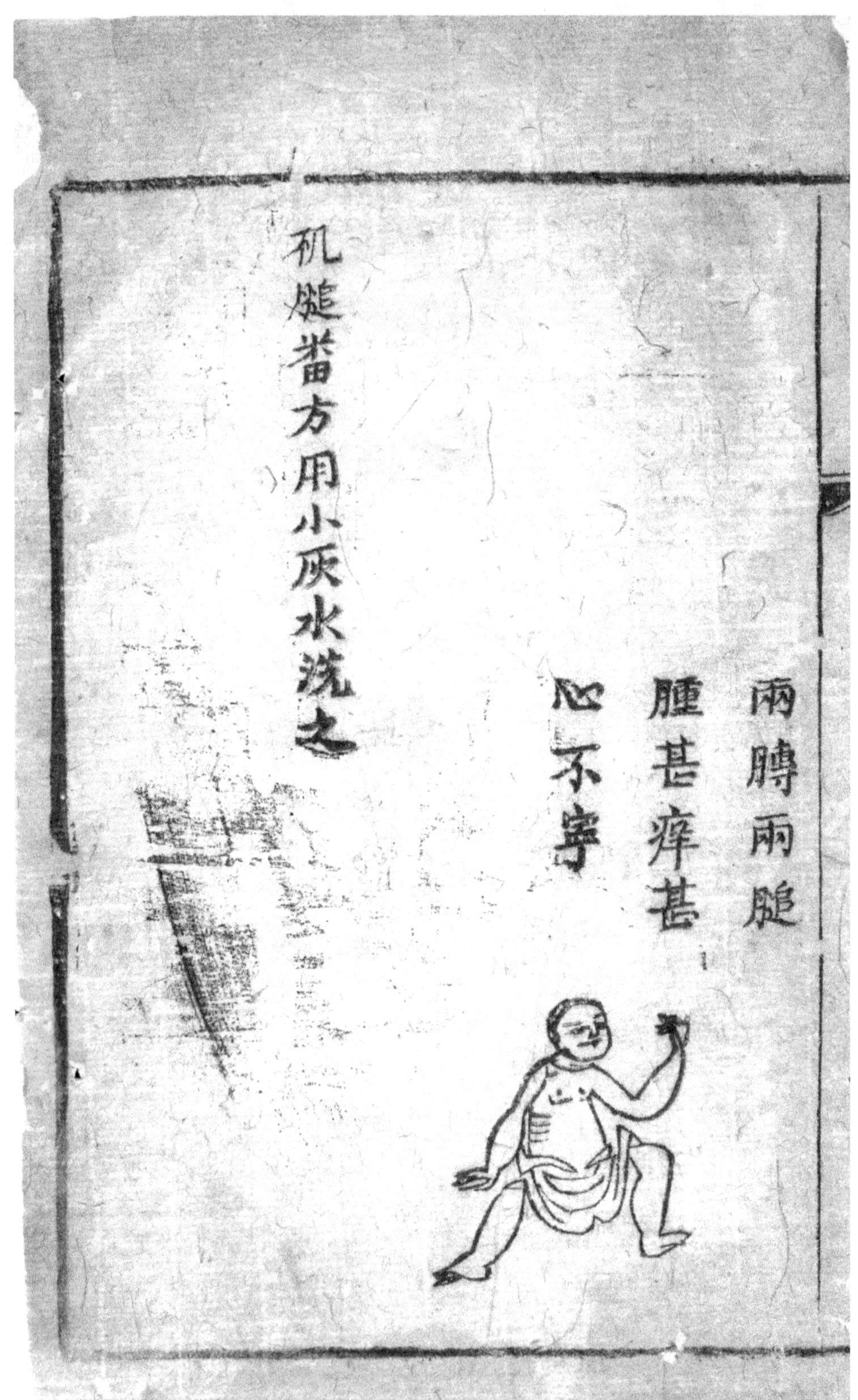
兩膊兩腿
腫甚痒甚
心不寧
乳髓畨方用小灰水洗之

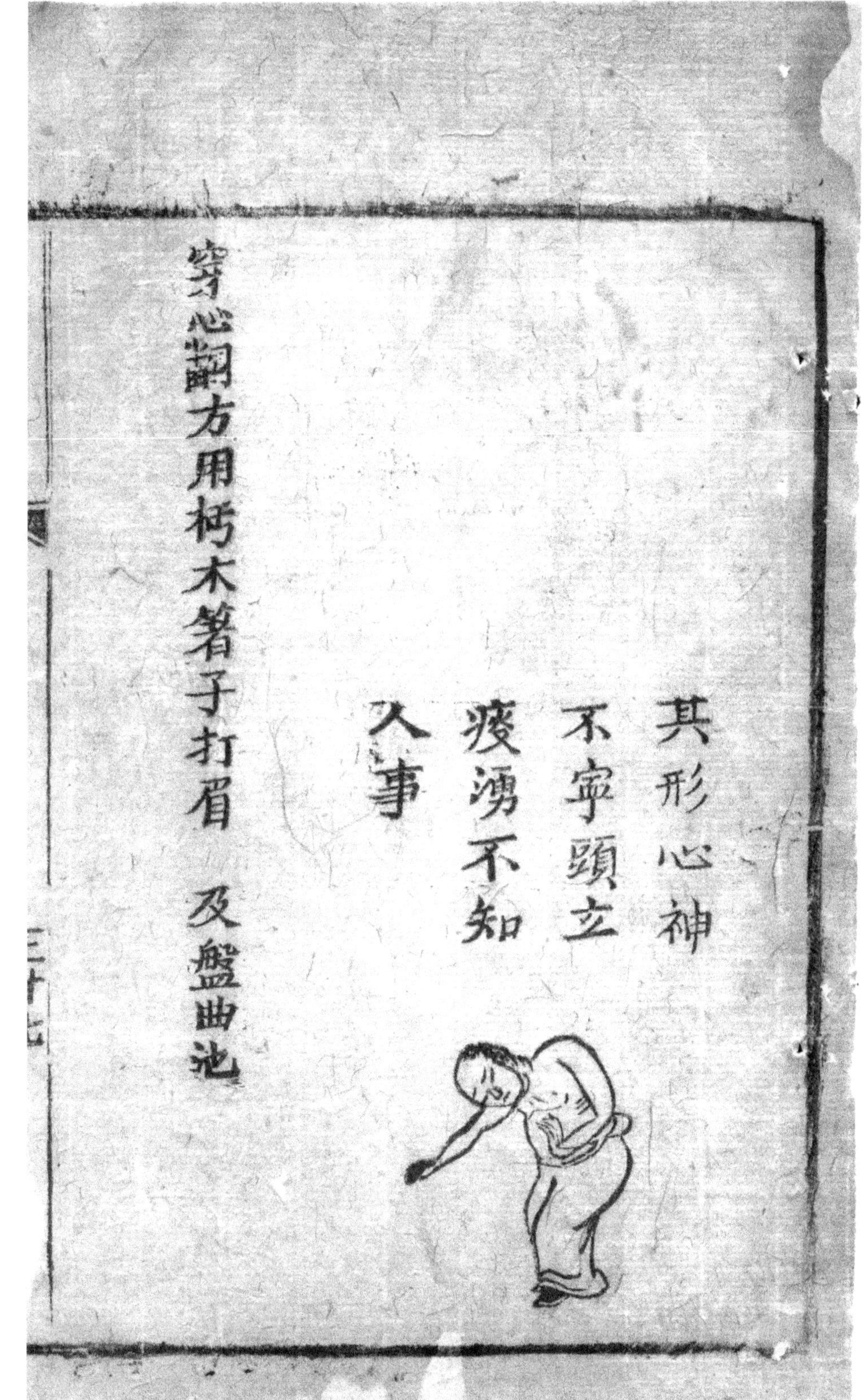
穿心翻方用柺木箸子打眉　及盤曲池
其形心神
不寧頭立
瘮湧不知
人事
三十七

頭出冷

攛心吐黃

水脊骨兩

旁有紫筋

蜈蚣翻治方用針刺破紫筋雄黃点之

九種心疼 用臭椿子炒過為末一服三錢姜湯調下立効

倒飽饡心 用神曲炒為末一服三錢黃酒送下立止

噎隔反胃 把狗干餓四日用小米喂之等拉下屎把米淘淨煮粥再入沉香末一下吃

勞傷吐血 用自己尿一鍾加香墨三錢調服即愈

風火牙疼 用花椒艾醋不拘多少同煎東口即止

寒熱瘧子 用桃樹東南枝煎好露一宿空心服立止

小兒禿瘡用多年城土鵝蛋清調搽兩日一換五天全好

多年凍瘡用茄柴花椒熬水洗之自好

加味芎歸湯百試百驗

當歸壹兩　川芎七錢　龜板手大一片醋炙研末

婦人頭髮如雞蛋大壹團瓦上焙存性　以上四味合一

水貳碗煎壹大碗服如人行五里即生或臨死

或交骨不開用服此方如神

產後無奶 用萵苣菜子三錢炒研末黃酒送下奶即下

經脉不調 用紅花澤蘭葉各三錢研末黃酒送下

洗眼良方 苦參膽九青盐三樣買十個錢的着炒鍋蒸滚連簪代洗

小兒痞積 核桃仁一斤皮硝四兩同煮入盞四兩不拘時服

悮吞銅鐵 用羊脛骨燒灰研末二錢米湯送下即出

蝎螫腫疼 膽九一塊蒸患處立刻止疼用涼水搽

諸虫入耳 用貓尿些須滴入即出取貓尿法用蒜搽貓鼻即有

多年耳聾 用天麻子研碎紙色如鉅子樣送入耳內

雀矇眼方 青羊肝一斤於鍋內炒先熏後吃即[illegible]

婦人下瘤 蓮鬚頭石榴皮馬齒莧煎水洗之

瘀血勞症 帰尾赤芍杏仁倒弟灰黄酒煎服

治氣瘰瘡 生大黄白芨水羅蔔根各等分爲末乳汁調搽

癡症痰迷　藜蘆為末米湯送下

跌打損傷　上鱉木十芒東樹芽搗爛糊之

脊背疼痛　麻黃桂枝陳皮煎服

心血不足　酸棗仁党参黄芪各一錢煎服

楊梅結氣　婁花皂子七個搗碎婁子丁雄黃各二千煎服

久不生育　益母草松栢斗各三千常煎服

眼中雲翳 子糞白礬燒炸為末水飛點眼

葦花氣矇 兎屎三千燒研末清茶調服

干血癆症 香附四兩鹽酒姜醋各炒一兩研末一服三十黃
酒送下

多年痔瘡 皮硝熬水不拘時洗之八愈

氣累鼠瘡 元猫頭一個燒灰油調搽若末破醋調搽

多年癬瘡 用蒜瓣子熬水洗之自母

紅白痢疾　用姜三兩錢橘餅一個切碎同煎服立止

痰喘咳嗽　用姜一塊梨一個搗碎入蜜半鍾同熬成汁服

嘔吐霍亂　用生菉豆麵凉水調服即愈

大便不通　用桃花瓣子二錢冲凉水服即通

小腸疝氣　用小茴香盐各三乎炒研末黄酒送下即愈

小便不通　用星星草水煎服即通

五淋白濁

用羊脊骨燒研末二本黃酒調服立好

栖芬室藏中醫典籍精選·第三輯

醫略正誤概論

提要　牛亞華

内容提要

醫略正誤概論又名醫略正誤，是一部論述臨床辨證的綜合性醫書，約成書於明嘉靖二十四年（一五四五）。作者李象，史書無傳，但據該書序、跋以及清同治九年（一八七〇）清江縣志約略可知其生平和成書經過。

醫略正誤概論前有敖英和簡霄的序文，敖英序曰：『予友石泉子，藏器博藝而鶡袍數奇，縉紳先生多愛惜之。中歲慕許文懿公以儒業醫，取内經諸書咸究厥旨。久之涣然有得，乃著醫略正誤二篇。』簡霄序曰：『吾李石泉子，自幼業儒，以奇疾從東陽（今屬浙江）盧廉夫氏游。蓋亦有年，乃得盡盧氏之術，愈疾而歸。益肆力醫學，推以及人，隨施輒效。遍究方書，痛懲時謬，作爲正誤一書。』書尾附有聶璜的跋文，其曰：『石泉自少入郡膠，殫力學易，出入諸子史百家，坐是遘疾，奉厥甫東郊翁命就醫。時東陽盧彀庵以兹術鳴寧藩，禮致在館，一見石泉，奇其神异。遂傾心焉。未逾年疾瘳，盡得其肯綮妙辭歸。彀庵嘆曰：吾業有傳，吾可以休。竟請去，得脱黨禍，人咸嘉彀庵先幾。石泉得師，自是本業優研，極素、難諸書，有心得處筆之；見偏門病，病者失處筆之，與己之應病；候寒暑，按經絡，驗處又筆之。參訂指摘診脉之誤，積撰成書，分條别方，題曰醫略正誤，識者宗之。』又清同治九年（一八七〇）清江縣志載：『李漢儀，嘉靖間諸生也。博學工詩文，精於醫理。内經諸書，咸究其旨。游足遍海内，嘗北至京師，公卿交禮致之。然必以醫往，於榮利莫無所干。倦游而歸，鑿石得泉，結精舍，讀易其中，自號石泉子。嘗以醫書多古奥，世之醫者或懵或鑿，多致誤用，因著醫略正誤二卷，抉摘瑕瑩，發前人所未發，其正發熱之誤尤爲精核，敖英序而行之。』清江縣志『貢生』條下有李象之名，記其曾任教諭、潁川學正。

由上述記載可知，該書作者李象，字漢儀，號石泉子，江西清江（今樟樹市）人，約生活於明正德嘉靖間。早年業儒，考得貢生，曾任教諭、潁川學正。因病從東陽名醫盧廉夫習醫，頗得其賞識，盡獲其術。他精研醫籍，爲人治病頗有效驗，并隨手記録診病的經驗得失。他曾雲游四方，北至京師，與公卿多有交往，主要是醫學上的往來。晚年他厭倦了漂泊的生活，回到故鄉，因鑿石得泉，結舍而居，自號石泉子。此時，他將診病經驗整理成書，即醫略正誤概論。除醫學外，李象還長於詩畫，受到當時縉紳士子的推崇。

醫略正誤概論分上、下两卷，根據内容，上卷又可分爲兩部分，前面十六論，指出醫者診病辨證存在的問題，闡述作者认爲正確的方法。首論『醫略正誤概論』，簡述該書宗旨，指出醫生若不精研素問、難經等古典醫著，不學習前人的診病經驗，則易造成診治失誤。第二至十六論分别爲『正脉診之誤』『正製方用藥之誤』『正泥古今方藥之誤』『正滋陰壯陽補益偏行之誤』等，作者針對當時醫者由於不重視理論學習，不明經絡辨證原理，診脉、辨證失誤，從而在治療上攻補失宜、用藥不當、生搬硬套名家方劑的現象加以批評。這些對業醫者確有指導和警示作用。

卷上後部和卷下都是關於最爲常見的熱證的討論。卷上後部十四論，探討成人熱證問題，『類編大人熱證正誤』條下，作者注『節齋著發熱論。蓋以諸熱外候雖同，而其中實异，世醫混而無別，種種致誤』，并分條析類，闡明『某熱某證，某證某治』，使醫者能够『酌古準今，自無混錯以誤人矣』；『叙次熱證綱領』，總結了熱證的辨治大法，對朱丹溪『氣有餘便是火』進行辨析，提出了自己的觀點；『叙次熱證條目』，先概論熱病脉象、證治，然後分條論述了潮熱、往來寒熱、傷風感冒發熱、食積發熱、積痰發熱、傷暑發熱、勞役發熱、温病發熱、瘟疫潮熱、瘴氣發熱、陰虚發熱等十一種發熱證的脉法、病候、辨證、治法。下卷二十三論，專論小兒熱病，一如成人熱病體例，首爲『類編小兒熱證正誤』，次爲『熱證綱領』，再次爲『熱證條目』（有胎毒熱、驚熱、客忤熱、傷風熱、積滯熱、疳熱、潮熱、陰陽相勝熱、傷寒熱、瘧熱、暑熱、丹熱、瘡疹熱、瘟氣熱、餘毒熱、骨蒸熱、痰熱、虚熱、實熱等），最後爲『泛論熱證治例』。所論多從實際出發，反映出作者在熱證診療方面豐富的臨床經驗。

醫略正誤概論是一部針砭時弊的作品，其最大的特點是對熱證細緻入微的闡述，有學者認爲，該書是中醫學中最全面的一部發熱症狀鑒別診斷學著作，有很高的學術價值，值得深入研究。

聿修堂藏書目録有『醫略正誤三卷三册，明李象撰，寬永十九年刊本』的記載，丹波元胤醫籍考亦有該書記載，説明其曾東傳日本，并被日本翻刻。國内現僅存孤本，原爲范行準栖芬室所藏，現歸中國中醫科學院圖書館藏。該書此前雖有影印出版，但流傳未廣，没有引起學界廣泛重視，關於該書的研究論著尚少。希望本書的出版能爲學界提供第一手的研究資料。

牛亞華

中國中醫研究院圖書館藏書

醫畧正誤序

予友石泉子藏器博藝而鵠袍數奇縉紳先生多愛惜之中歲慕許文懿公以儒業醫取內經諸書咸究厥旨文之渙然有得乃著醫畧正誤二篇扶摘瑕舋用心良苦其正發熱之誤尤為精要間出淨稿屬予序之予閱之乃作而嘆曰醫書在秦漢以前無誤也歷代名醫相繼發明之亦無誤也奈何醫書多古奧季世醫者或懵焉而誤或鑿焉而誤病者甘心而受誤於是誤之弊承承矣昔齊威王有疾方士曰王疾得大

怒當痊摯不脫屨登王床王大怒殺摯疾乃痊夫激怒以愈疾立法之巧也舍生以激怒用法之誤也夫誤用立法之意其愚乃至於殺身矧證治俱誤而薦毒以殺人不尤可哀乎然予於此又竊有感焉昔周益公當國不作聰明以養和平之福晦翁寓書劉子澄曰如今是大承氣證渠却下四君子湯雖不為害恐無益於病爾夫晦翁欲用瞑眩之藥以收撥亂反正之功其憤世嫉邪之志可謂壯哉雖然瞑眩之藥抑豈宜輕試使其元氣如魯之靈光則一劑承氣即

一七神樓兮苟或元氣越渫邪氣結轄而誤用瞑眩之藥恐亢害之幾間不容髮是故王允誤用瞑眩之藥於鄗塢燃臍之日而漢鼎震搖不可收拾李訓誤用瞑眩之藥於海榴甘露之秋則眾恩决而唐事去矣曾謂益公不此之慮乎噫難言哉予嘉石泉子正誤之論而感慨咎人醫國之異同輒綴此說以為族醫之告蓋欲使之憬然而變通毋或執焉忌焉庶幾石泉子正誤之意不孤也

嘉靖乙巳六月穀旦

賜進士出身中奉大夫四川等處承宣布政使
司右布政使致仕前奉
勑提督陝西河南學政清江敖英序

醫略正誤序

夫醫之治疾猶儒之治人事異而理同也雖有大小廣狹不同其為及人之功則一也然血氣虛實溫寒殊方時勢理忽寬嚴異體劑量緩急各有所宜一或誤焉其為害均也可不慎哉可不慎哉吾李石泉子自幼業儒以奇疾從東陽盧廉夫氏遊蓋亦有年乃得盡盧氏之術愈疾而歸益肆力醫學推以及人隨施輒效遍究方書痛懲時謬作為正誤一書是非疑似如指諸

掌予得而閱之慨自上古百草嘗而醫道興神人尸之因疾投藥初未始有方也自是而後代多哲人異士妙悟神羿始原疾著方據方療疾亦未嘗有誤也然方之著弗能以盡其變疾之變弗可以執其方後之人各出已見又從而增損附會自著爲方焉而誤斯作矣誤以傳誤于是始有弗對症之藥而傷生害人多矣是豈醫之病哉此正誤之所由作也雖然醫亦難言也醫之誤而可以是正耶昔許允宗云醫言

意也思慮精則得之吾意所解口不能宣郭玉云醫言意也神存心手之間可得解而不可得言是皆謂醫之難言而弗輕於著書正誤之作無乃易於言歟噫弗然也亦猶夫治人焉彼弗輕言以著書者慎於立法也此必明言以正誤者切於救弊也要皆有功於醫其意之所得亦從可知矣誤之正奚容已哉予固弗良於醫者因治人而差有所得焉石泉子治人之道雖未之試則已有得於醫矣兹援于主司上于

春官試于
明廷録于天曹行将有民社之寄舉而措之
有地矣幸執此以往其亦毋誤焉可也
嘉靖乙巳秋七月既望新喻竹間草亭居士
簡霄謾書

醫畧正誤目録

卷上

醫畧正誤槩論　正脉診之誤

正以感冒發熱槩作傷寒治誤

正東南痰火等疾槩作中風感冒治誤

正火熱諸證作寒治誤

正不明經絡及攻補偏行之誤

正製方用藥之誤　正升麻柴胡槩用之誤

正人參黃芪槩用之誤　正飽食晚食過暖之誤

正證治差謬遺禍無窮之誤

正用二陳湯劑之誤

正治病不求其本之誤　正瘡疹鮮毒補虛後期之誤

醫畧正誤目錄終

醫畧正誤槪論卷上

清江李象撰

一醫之為道病者之安危休戚繫焉古術於此為重而今流為至輕孫真人曰為醫不解陰陽五行經方周易不足以言大醫又曰如無目夜行動成顛蹟朱丹溪曰不讀四書無以窮格物致知之理則弗能以為醫況不本素難乎今時率檢古方應病不知素難為何說間有别立方者又不審夫監制忌宜奇偶配復之義昔羅謙甫引或人云明醫不如福醫因言福醫者流不精醫脉不觀諸經賴以命通運達為醫病家輙或因其偶爾而遂信其平生且云福醫者但能福於渠者也安能消病者之患焉世不辯此而委命於庸醫之手至於傷生喪命終莫能悟此惑之甚者也王海藏曰哀哉庸夫以衣食迫以口舌爭視學業

如仇讎專妬忌為能幹誤人性命恬不知恤甘為忍人不顧陰理其教之有所失耶抑時世之俾然耶抑疾者之不幸而有所自致耶二公之論良可悲夫嘗聞醫者有恒言曰吾無賴于書無能於論但能捷於治効耳嗚呼此豈仁人所忍聞哉夫為輪扁者得諸心斯應之手况業之至精至微者乎俾嘗苦心積歲師友名家而於諸書靡不精研故能妙應無方昔李東垣治一小便不通技窮而歸思至夜分至悟内經陰陽生化之旨遂攬衣而起曰吾得之矣隨往治之得愈張子和治一貴人妻病恍惚不痊而去藥用術以鼓響擊朴之法治愈緣取内經驚者平之之説黄子厚及諸醫治一小兒泄利不止而技窮不寐夜分讀易全書至大氣鼓動枕珠之説遂悟百會灸提之法次日往治之立愈使諸公素無所藴于中而徒苦思窮日夕則亦何有

於妙應何有於治効哉況無稽古又無精思者乎故書曰自得之則居安資深取之左右逢原者也今于素難等書或艱于句讀或病夫王註幾何其能為醫也哉先大醫固嘗有論王註之誤者蓋嘗潛心歲月洞察精微故能燭見王註誤處如昔人謂非國語者蓋嘗潛心於國語以故能為非是處也豈如今昔居然大言廢置者哉丹溪嘗曰讀素問者通其所可通缺其所可疑醫者果能遍通悉究而歸萃於滑氏之類鈔丹溪之糾畧越人之問難以遂及夫劉張朱李諸家之粹如士人治經以遍及于諸子斯可矣俾士人不治經醫不治素難可乎予嘗深慨懵師之迷其於諸證惟大人小兒發熱一證尤為謬誤後閱王節齋公著論益感于中乃欲採摭諸家以為治例一篇然既不敢以淺陋窺高明亦不忍以越人覷視秦人之肥瘠爰條例諸熱

證治方論并摘目前謬誤數條以例其餘或採諸家之粹或申一得之愚間有就問學醫之槩於予者予欲慎其迷誤故以是應之因目之曰醫畧正誤非為明着道也

正脉診之誤

夫脉理不明于指下而率意以應人今昔之弊久矣醫者毋宗脉訣而忽脉經間猶不能以至定者况脉之諸體乎叔和嘗謂脉理精微其體難辯謂伏為沉則方脉永乖以緩為遲則危殆立至况有數候俱見異病同體者乎昔人有患脉經條緒之多者丹溪曰人之生命至重非積歲月之功不能診候豈六代時高陽生數語之脉訣偽托王氏之真經能盡無窮之病耶朱晦翁嘗疑脉訣鄙俚則叔和真經尚未能顯於其時也惜哉今必以脉經為主而參之以滑氏之樞要崔氏之四言以傍及諸家

之要斯可矣雖然東坡嘗云吾每遇疾必先告醫以所患而後以脉證之庶中醫治疾已得半旨時人以脉困醫者又烏知昔人始之以望聞問語而後叙之以切脉也哉

正以感冒發熱槩作傷寒治誤

一傷寒立名蓋以四時之氣惟冬寒為甚盧書曰此病多於辛苦之人得之君子固密蓋以辛苦之人涉冒風霜衝斥道途故也槩惟冬至後至春分前得之者為真每見今之醫者病者處凡燠煖之室或有四時之感間遇濕熱之證率皆指為傷寒且春溫夏熱秋燥三時之異豈可例言為寒故盧穀菴曰名不正其可言治乎若仲景之書專以冬時即病立法其與三時之患並無相干夫三時之患既無傳經又非合併亦無兩感今專門者率多誤此間有真傷寒者况又不諳仲景真經為何物槩以

偏門方論擬作仲景處治又不知夫或感或冒或中之說（凡病有感有傷有中感冒者在皮毛為輕傷者兼肌肉稍重中者入藏府最重如風有感風傷風中風暑濕亦然皆當分表裏輕重治各不同）其間至而謬以先後感冒為兩感而竟不知夫表裏臟腑之義者嗚呼叔和所謂冤魂塞於冥路死屍盈於曠野痛哉

正東南痰火等疾槩作中風感冒治誤

一今之病氣厥痰厥氣虛或猝倒失跌倏忽之間口眼歪斜攣拳不語偏枯痿弱等證槩用中風處治往往日入深重或至淹延歲月伏枕不救者有之緣以痰氣之疾誤作中風治也人之病此多由耽嗜酒肉厚味又或思慮憂悲氣體虛弱痰凝氣滯當用開痰行氣等藥活法處治又有一種夏月暑者風猝倒類中風者亦有稠痰痼熱病類外感狀者但只認病不差必多全活若西北方人病偏坐此其與東南濕土痰火之證自不同科如

此篇之後獨附諸方盖以病候不多難爲危急遂備採用非如前篇傷寒雜病各有專門條例緒論雖然此亦不足以盡良方也要之明者推類製用可也

一昏迷卒倒不省人事欲絶者先用皂莢末撚紙燒煙熏入鼻中有嚏可治隨用吐痰法將皂莢末五分半夏製二分白礬三分爲細末薑汁調服無嚏不可治　或用皂角末於鼻內吹之

一因氣中卒暴以沸湯化蘇合香丸乘熱灌服

一口噤不省者用細辛皂角各少許爲細末以蘆管吹入鼻中俟噴嚏少蘇然後進藥

一方稀涎散猪牙皂角四條去皮去弦炙黄　白礬一兩　藜蘆五錢每服一二錢一云七八錢溫水灌下多少量病輕重服之

一氣體壯實飲食厚味膠固鬱閉連日不便者可用通膈丸下之

五靈脂（净一兩） 青皮（先末五錢） 巴豆（全用十二粒）

右滴水擣至可丸大人菉豆大一二丸小兒米粒大一二丸量虛實加至四五丸王海藏曰若合久年久愈佳中有痰涎淤緑水相混不能施化亦曾加至十丸十五丸凡有下證以此方用之妙

一 瓜蒂散

瓜蒂（炒） 赤小豆（各等分）

右細末香豉一合水盞半先漬之須臾煮作稀粥去滓取三分之一和末一錢頓服之不吐少加得快吐乃止如病虛者不可吐（凡吐時須天氣清明午前巳間行之晦日難得吐也先令病人隔夜不食卒暴者不拘若吐不止用射香解藜蘆瓜蒂二物葱白亦解瓜蒂白水甘草揔解之）

一 附備急丹

青黛（三兩） 芒硝（二兩） 白薑蚕（一兩） 甘草（四兩）

右共為細末用臘月牛膽汁盛藥於中懸

於背陰處四十九日日數多尤妙取出藥如此小麥腮喉痺用皂角一寸大塊研碎為末以竹筒子吹入咽喉内愈

附方治咽喉腫痛氣息難通

硇砂少許　白礬皂子大　硝石四兩　巴豆六箇去油

黃丹五錢　右為細末吹之

附喉痺逡巡不救方

皂莢去皮弦生半兩為末細筋膜點少許在痛處更以醋調糊調藥末厚塗項上須臾便破血出立瘥

瓜蒂一兩炒黃色瓜蒂黃熟脫落者佳

又方

右為細末每服半錢或一錢凡服此藥須量人虛實用之用酸虀汁調下以吐為度如不吐再用熟虀水投之如更不吐或病甚者加芫花末半錢立吐

又吐法

用蘿蔔子半升擂和漿水一碗去渣入少油

與客溫服或用蝦半斤入醬葱薑等物水煮先喫蝦後飲汁少時以鷄翎探吐其翎須先以桐油浸又以皂角水洗晒待乾用若瓜蒂藜蘆等藥不須探法自吐此輕劑量行吐法者也

一墜痰丸能利痰從穀道中出

風化硝　枳實麩炒黃色　黑牽牛取頭末各五錢一方黑丑五錢

生白礬三錢　猪牙皂角去皮弦酥炙黃三錢

右細末蘿蔔汁丸梧桐子大每服四五十丸白湯下鷄鳴時服先見糞後見痰一本有貝母三錢

一控涎丹治病狀如癱瘓并胸背手足頸項腰胯隱痛筋骨牽引鈞痛時時走易乃是痰涎在心膈上變為此症或手足冷痺氣脉不通

甘遂去心　紫大戟去皮　白芥子各等分

右末糊丸梧子大每服食後臨卧淡薑湯下五七丸至十

丸痰猛加丸數小兒驚痰加硃砂熱痰加鹽硝寒痰加丁香胡椒桂

一透羅丹

皂角酥炙去皮弦一兩　黑牽牛微炒一兩

巴豆去油研一錢　杏仁麵炒黃去皮尖一錢　大黃一兩紙裹水浸慢火焙乾

右細末生薑自然汁為丸梧子大食後薑湯下三十丸破堅積結聚寒熱兼用之藥也元戎方中有半夏一兩皂角多一兩無酥炙杏仁巴豆俱六十斷

已上諸方蓋為初病暴作時各隨選用以備急耳至於因病調治自有專門條例茲不備述已上諸方於小兒急慢驚風痰火等症俱可選用

正火熱諸證作寒治誤

一內經五運之行火熱居二又五臟之中五火易動故曰濕熱相火為病最多河間原病式發明證治最為詳盡天地間不可一日無此治法也故曰火旺致病者十居八九今人一切蘊蓄

熱證及凡腹痛氣痛頭疼瀉利喘咳種種諸作往往便認為感為風為寒而醫者憒然又每從而和治之誤亦甚矣至有真病寒者此須病者明知感受之時之地切不可想像億度相安於謬妄也

正不明經絡及攻補偏行之誤

一老人年七十餘偶患小腹中積氣横亘如梁仰睡不便側卧差可飲食減而無味每凡日所食物至四鼓時口中一一氣味擁出上升一番自頗知醫調治不愈遂别求醫醫皆蓬术等行滞之藥病益甚越旬餘召予治之因詢病情意以飲食之餘作惱果然脉息忘之因語之曰高年體虛重為攻擊恐傷元氣然痼滞不行為病滋甚但書云逐敗養新攻補難並今以積滞有形癥瘕之類蓬术等劑似不可廢但不宜於專用耳遂為日進調養

中氣之藥以為湯餌别製消道丸如蓬朮等丸以為緩治此亦攻補並行不悖之意也亦養正積自除之微意且詰之曰諸味至四鼓時上升而他時安靜者醫者何説也老人曰會詢之未有對正欲質諸予曰手足經各六共為經絡十二以司臟腑以應十二時四鼓丑時大陰脾經專時也脾陰受傷運行不壯食難尅化脾經陰火奔挾寅鄰三焦相火之邪乘虛泛上遂使日中餘腐隨火上升故也若直行攻擊既妨老病攻補並劑又正滑公所謂混沌湯者殆將無益而有害矣予既為行滯等藥量加蓬朮以為丸又為調中益脾扶衰養正以為湯治之殆夾旬獲全安設不審夫經絡而偏為攻擊誤亦甚矣

正製方用藥之誤

一凡治病諸藥採之有時產之有地新故有宜蒸煎有要脩製

有法若悖此五者則無怪乎疾之難瘳也昔羅謙甫治一疾不痊病家疑藥証之未對羅為審視已真自信其方不悖遂專用之竟莫効既而悟曰此等品味非採不以時則産非其地徐為自擇精辯之仍前方服得全愈彼粗蕪者藥圖賤輕方仍和劑其有能自撰方者又多混雜無章易簡無法不知一藥數能仲景精專之妙而品味堆砌動經數十正滑公所謂混沌湯者此皆中無定主外圖倖中是誠所謂廣絡原野冀獲一兎者耳又凡病家烹煎藥物多委童婢水火未調生熟無節藥確偏細其弊有弗能盡述者予間遇疾烹藥雖內人亦擇付謹厚者監視之俾毋暫離去斯飲之庶見効益速矣

正升麻柴胡槩用之誤

一東垣多用升麻柴胡升陽益胃之名盧藪庵曰北人陽氣多

陷服之則宜南人陽氣多偏誤服招禍其誤服云云者意亦有當服時但當慎而不可誤耳至虞恒德作正傳則曰地不滿東南土氣下陷脾胃之氣不升則升柴尤利於東南且謂參芪等補劑若不以此提之末由能行於經絡愚嘗以内經列五方之論風氣異宜誠難概視故曰北方多寒南方多熱江湖多濕嶺南多瘴雖治寒以熱治熱以寒治例雖同然偏勝則異故節齋嘗謂南北所用辛熱忌宜治病用藥當識此意又曰南方地卑多濕濕熱相搏鬱火炎上陽氣多升故南人得病率皆胸膈痰涎壅塞居多故升柴等劑與諸風升之藥誠不可多服而補中益氣等劑誠不宜輕用愚嘗往往驗之病多類此每見服此多致滿悶豈恒翁所嘗治者自每多下陷所宜者耶又參芪甘溫助火之性借助升柴上升滋甚故南人上氣虛者借此引用十百居

一且凡肺氣之虛鬱遏反勝便為火矣故升柴之劑苟非用於解肌發表與夫泄痢下墜調經升散等症之宜而泛用於虛人痰火之際誠不可忽易若北人虛損合用升柴以升補之若以南人果多膈滿等候而動必俟此以助參芪此愚夫之信也又見偏門專小兒者每值小兒驚熱等証率用升柴以為解散然火熱上盛又復升之致使痞隔煩蒸往往不救者有矣恐還當以北用多宜南用多忌為定論也

正人參黃芪槩用之誤

一節齋謂近世治病但見虛證便用參芪屬氣虛者固宜若是血虛豈不助火而反耗陰血耶又曰血虛誤服參芪等甘溫之藥則病日增服之過多則死不治蓋陽旺陰消之意也虞恒德則非之曰引陽旺乃能生陰之說且云血脫益氣古聖人之法

也血虛者須以參芪補之陽生陰長之理也但言惟真陰虛者將為勞極者則參芪固不敢用也竊惟仲景用人參以入血藥以為陽旺乃能生陰之說此誠醫家之秘旨仲景之神機蓋絕倡前人未盡之妙者也然每驗諸虛損病情率多咳嗽痰火血衄微熱潮熱脉數等證上升之火誠為陰虛陽旺之義也又本草曰人參入手太陰肺金能補火邪使驟焉用此則上升之火真如縱火澆油也其禍可勝言哉使恒翁以血虛者為必俟此愚竊以為血稍虛者則固無俟於此若虛甚而脫血者便為已上炎爍勞極諸證夫果必用此乎抑別有等血虛輕小之病然後為可用乎緣仲景之意非為血虛損甚等病立說若病候至此誠不可驟用也又恒翁云氣虛者氣中之陰虛也治法用四君子以補氣中之陰雖然陽中有陰本草亦云沙參補五臟之

陰但昔人製四君子湯正為補陽設也今以此方為補陰不知更以何方為補陽哉至引産後當以大補氣血為主為證又曰陽無所依而浮散於外非參芪以收耗散之氣不可夫以産婦血既耗多氣亦疲憊暫為虛損用之誠宜然不離於血藥兼濟而尤賴於炒焦乾薑以從治若以此證例治已上虛證則誤人多矣故曰氣虛補血雖無益而無害血虛補氣則無益而有害矣雖然參芪夫豈終為廢置而不可用者哉大抵病略可慮而未危虛損而未憊二者之間裁度用之斯可矣若暫用於稍虛等候亦當以血藥兼輔此又在夫圓機應變之人也然須更審病者相宜與否若以覺病進又須間用二陳等降劑輕重多寡以平之此即行舟家輸檣亂檣之法也邵子皇極書曰元氣總於腎昔人嘗有秘妙或用參芪於滋陰藥內正為此耳蓋以合[illegible]

二臟為生化之原欲其互相滋益又醫云母能令子虛又或用於調中養脾藥內使土旺而生金是也予嘗憲氣血兩虛之人擬進參芪者每於滋陰藥內共和為丸使居下部徐而化之既不失夫陽旺陰生之義又不蹈夫痞滿助火之非此正元氣統腎金水生化之微意也至有動以參芪擬如毒物而緊忌廢置不用者又斯弊矣恒翁又曰陽常有餘陰常不足陰陽二字非直指氣為陽而血為陰乎不知氣血之外更以何者為直指乎四體百骸五臟六腑謂非氣血為之者可乎雖然恒翁固亦老成于醫者也予姑記此以俟明哲就正焉

正飽食晚食過暖之誤

一凡病者務須痛節飲食時人往往以病不能食而強食或能食而過飽殊不知凡病之來每因脾胃失調乘間而作無分內

外之傷但邪氣既留中氣益弱須節少飲食使不傷脾助邪可矣況元氣從虛中生老子曰虛極靜篤以觀其復譬之簇火家云火要玲瓏則氣機升發若中為拍塞則火遂滅矣又內經曰日西陽氣衰氣門乃閉昔孫真人諄諄戒人晚食此也病者往往誤此其害有弗可勝言者間有非飽不睡之人享年益高者何哉蓋天生元氣健行弗可擬倒設然於此益謹則益引年未可量矣又凡病者猶須痛絕厚味蓋魚肉酒麵一應甘溫增邪助火故古人有茹淡之論豈值節少益食為茹淡哉蓋謂清菜素食既薄滋味為淡耳又謂膏粱家食肉是自棄也昔丹溪謂孫真人治癘風數人無一愈者而其治二三皆獲痊豈真人無術哉蓋其之治者貧而無味賤而無欲真人之治者則反是也又嘗為諸家視疾其審脉辯証認治已真然發表攻裏熱作如

非豈以藥証之未對而殃疾之入深耶繼而屢見愚庸或因患者必覺惡寒不察時宜輒為過慎厚加衾服日益煎熬致使輕病至重重病不起者有矣又況習俗痴情動以卷三東九之說因循流弊而不知變者亦可慨矣今為慈父為孝子者合以冊溪養老慈幼篇論常置座隅日顧視之斯可矣故晦翁曰慎言語節飲食養德養身之切務也旨哉

正證治差謬遺禍無窮之誤

昔人論醫曰非素問無以識病非本草無以辨藥非脉經無以診候三者備具斯可以為醫矣苟值一証未審病原未辨藥性未諳脉候揣摩億度僥倖十一藥餌謬施病情屢變輕病致重重病致死者多矣今舉一二以例其餘一中年人素病疝氣胞囊腫湿歲時作輙後雖治愈但囊湿不除一日忽病心胸中掣

頓挫盖類怔忡而實非怔忡也其候覺如上升之氣自腿膝部分上至小腹駸駸而上冲掣心間此盖疝氣病原肝火上升理宜降抑醫以為虛誤用補中益氣数劑上升之火益挾参芪升柴等藥病日滋甚遂用芩連梔子青皮知母黄栢等降火寒凉擬千百服間又自服滋陰養血等劑俱無克効伏枕四年醫如傳舍然中氣素強食飲如故日進猪肉猪肚無間但冲掣不寧連身攢掇自云苦甚召予治之診其脉六至而弦帶滑予以上升之氣中挾相火初病宜瀉而誤用補然寒凉之藥積習多年何火不降竊憶王安道沉寒痼熱之說而思内經壯水之主以鎮陽光則補陰以制火固其宜也然屢自服滋陰不効況日夕未寧無分偏重則又似非陰虛陽旺者例盖思其義寒凉既多中氣愈弱正合所謂正氣虛者邪滯着而不出若不補氣氣何

由行又況火之為病古人有謂陽火陰火虛火實火自宜分別彼病在氣分并日中巳前而作者陽火也設在血分并午後暮夜而作者陰火也蓄熱暴病為有餘之實火病損乏為不足之虛又曰實火可瀉虛火可補當看何經又曰尋火尋痰而治今以病經歲時果實火邪抑虛火邪況肉食助火虛火之中又增壯實書曰膏粱之變饒生丁火治病至此夫豈庸俗所可同日語哉然病者必嘗虛症頗知樂餌自疑初病誤服參芪峻拒予言不納殊不知氣體不充運行不壯食肉既多壯火食氣上升之氣隨其呼吸冲掣不寧陽火益升陰血益弱須氣血兼滋尤當審視偏重設或病久補氣火邪易升又須間服降火等劑兼行茹淡俾無助火此虛火可補實火可瀉之奧旨也譬猶行舟落檣家所謂輸檣贏檣之法是也此特其槩畧也要之權宜之

法尚在圓機史記云病有六不治自恣不信醫一也雖然世之自暴棄者太豈此一人而已哉

正用二陳湯劑之誤

一丹溪嘗謂二陳湯一身痰都管着予嘗隨經引用其應如響時人往往用之不効至欲廢而不可得者蓋不察大製方之宜也緣陳皮皮辛而穰温故用諸補養氣血藥內兼用白穰蓋辛温屬補之義也若痰涎鬱結一應等疾須温水量浸刮穰盡淨則辛散降瀉之義也今不知補瀉緊用留白間知去白尤多簡畧若未如紙薄仍存補性又不知古人多用之宜况曰廣白陳夫豈雜莲新皮新半夏哉又俗以半夏燥血雖汗渴家亦嘗有禁然濁液成痰猶水鹵凝地灰以滲之即温以燥濕之意也須泡製薑炒色如琥珀若血虛者自有滋陰甘寒等劑至而斟酌

痰血輕重隨宜治之斯為得矣若血虛甚者或用生地黃搗汁拌浸若無汁者更須生黃漬水拌製又或為麯既鮮偏燥尤便小兒每見視如毒物而委痰疾為廢癈者謬矣又甘草之佐則有二焉若新病者肺氣壅遏則用生草以併瀉之若久病氣虛則用炙草以輔治之忌陳皮之辛散耗氣也此虛實之分監制忌宜又方外不刊之秘旨也若不別此則雖日為湯劑殆無益矣

正治病不求其本之誤

一婦年六十餘久患中氣損甚日食僅茶甌強而後進大便如魚腸畧無糞狀異時又治一男子年五十餘娩如婦病便溺俱同間畧見糞必許男病于冬而婦病春夏六脉俱數関細弱而微弦婦數尤甚諸醫以脾胃蓄熱者間用寒凉以中氣不足者類用甘温有兼調治者方藥混殽率皆罔効久益疲憊召予診

視各因時宜酌量平和為製健脾理胃之劑雖得近効無全功
日為審視診得寸脉男得堅搏而長婦得微濇且二脉為勞怨傷
榮之候非藏氣之平也因思難經曰毋能令子虛火為土母豈
心經嘗受病邪而延及於脾土耶因細詢之當未病時男蓄思
慮婦值驚憂隨各為之寧鎮心神調養脾胃開欝行痰然治法
不無少異者緣驚憂者驚則神怯憂則氣鎖易曰震索索視矍
矍全治在心脾而心為重又婦多火正治之外時加涼而和之
男得蓄思思則氣結思則傷脾又心之官則思火土毋子更相
為命主治在脾結而兼調心又開欝行痰之外教令日聆弦歌
以助脾運計日緩治飲食漸增悉皆全愈後婦久之以他疾卒
男獨考終或者問曰便如魚腸何也予曰胃虛而脾弱日雖強
食不能運化如常三焦火邪但為銷爍糟粕而已然火與元氣

不兩立一勝則一負又徐爲之補氣然并温助火婦非所宜但爲日進心脾歸朮等藥男火差可遂爲日進參芪歸朮等劑漸次服之俾嘗徒知健胃滋脾而未察夫心母之原鬱抑之故則雖時日調中爲無益矣所謂治病必求其本者此一例也然病同候同但病因病情不同而治法亦稍異者此陳氏三因之説又不可不究厥旨也

正瘄疹解毒補虚後期之誤

一瘄疹之候治法多端然其要歸則虚實解補先後治例爲盡之矣然治必審於六日之前嘗見小兒於痘疹之初神清氣羸食少便利形證俱怯便當從虚滋補而反爲解表其或神強便澁煩痰鬱遏形證俱盛便當從實解毒而反爲温中又有一種體虚毒重亦當辨認形證隨爲解毒兼行補虚尤當審視偏重

緩急醫不致詳而致誤者多矣今必惴然於六日之前觀形察脉鮮毒補虚或兼行並治六日以後神醫無及矣又虚寒二證尤宜別白苟或預冒嚴寒室漏衣單寒亦有之設若虚證如前所狀切不可誤認爲實則死生之幾速於反掌然瘡疹既多鮮毒之餘又須慮夫氣血不充隨宜量補以資斂實着用藥之宜槩見丹溪序次設有寒證又須採用文中方治斯爲備矣

正滋陰壯陽補益偏行之誤

一古人論陽常有餘陰常不足故製甘寒等補陰之劑若禀之原足養之既充則無俟於補否則昔人有謂補陰之藥自少至老不可缺也時節齋公因裁酌古方著爲定法誠爲無窮之惠也然間有服此而未便者何哉蓋五臓之常肺苦逆而喜降脾好温而惡寒若中氣壯者則甘寒類服固無所傷若脾胃虚寒

自妨化納故又斟酌時宜條為損益量加白术陳皮以監制之意亦備矣然乾薑適與寒月相宜若四時增損於脾虛藥內未若選用參芪佐以砂仁茯苓尤為滋陰引用之妙若果中氣羸弱則須先為調治期于壯實徐為補腎可也故書曰補腎不如補脾下雖暫虛亦可以回又陰腎水臟惟宜清凉今服食家率用辛熱壯陽助火煎熬真陰而種種燥熱之證作矣昔孫真人嘗著房中補益之論時有以為採戰之術而刺之者固有說矣然由斯術者其視服溫補者為何如也夫大冊之要固非房中之術為能事也然嗜慾多而艱於強制媵妾衆而切於後圖者俾但為真人之嗇固而毋於彼圖焉則固勝於積習溫熱以為助者亦補偏救弊之一義也又凡服秋石者僅以充塩餌冊砂者止于生用循之可矣若專修熟煉以為常服則詩人之刺張

籍昌黎之誌慮中覆轍之戒明可鑒矣然昌黎子亦固蹈之無怍乎方士之溺人也

正泥古今方藥之誤

一用古方製今藥要須通變毋鑿毋泥今摘目前一二言之彼四物芎歸治血之要也今治虛家動以甘温廢置或用至纖微昔東垣用寒凉治目洗點之外痛戒諸温然不廢芎歸謂養血行氣之必用者也况存中雖嘗述其偏害蓋知單芎服治頭疼及多用之誤是也又調中家以白术陳皮爲温燥不用且脾胃好温而惡寒温者以燥濕甘以養脾蓋兼補瀉之義也不知去此更以何物爲代治哉况本草明著足陽明太陰專經之藥又云緩脾生津除熱銷痰者兼白芍山藥之凉以監制之此凉而能補又土金母子相滋之義也醫允忌此予每用之至終悅服

而無忌者但內虛而熱甚者或更加麥冬保定肺氣或先解熱次第調中可矣變通之術在夫人而已至而鑿爲巧者又以蓮肉芡實山藥茯苓等爲末以調中且諸藥於本草不載專經山藥爲手太陰之劑其視白术爲專經者從古良方未有捨此爲主治者設爲恃彼而能有濟吾未之見也又諸醫用竹或茹或葉或汁悉誤本草淡之一字夫淡竹者對苦而言盖以凡笋可食者味甘而淡不可食者味苦而濃今不知偏方別有一種淡竹其味甚苦其笋不可食又奚可以治病哉況存中亦嘗辨之矣又諸採野菊苦薏用以治目而忽家菊其傷脾損目爲害滋甚又凡用香茹等散以祛暑則可矣內有厚朴踈瀉之性夫暑傷元氣故云夏月伏陰在內以陽氣盡發於外也其中空虛故曰此陰字有虛之義元氣既虛又無積滯何以瀉爲若平胃之

名緣以湿滯未行邪盛正微胃不得其平用此瀉之此方之所由名也又本草云厚腸者盖以積傷則腸胃薄今用平之則腸斯厚矣故凡藥之性有功有能功者効也能者性也其云厚腸盖言其功也非言其能也凡病用此其可忽諸又市易熟黄悉經銅鉄今士大夫猶多昧於消腎之戒而弗自爲之製則無益而有損矣又凡小兒脆弱尤宜酌量錢氏用地黄丸補腎以澤瀉爲引用雖本草亦有滋養之説然利小便行水其滲泄之嫌與茯苓等茲既用茯苓未若監以牛膝枸杞之益陰黄栢山茱之入腎又何假於澤瀉哉後之名家往往別立滋陰補腎等方夫豈無意耶醫猶守而不察盖不知權也又白术益黄散等爲小兒例用之藥其益黄方下有虚寒字則丁香訶子固宜至白术散下並無寒字而有木香錢氏每用二方通調脾胃何哉昔

婁居中臨安集言兒本無疾以愛之者害之也蓋言其飽也又書曰醉飽則火起於胃今以飽傷脾而火動固也無寒可溫獨不嫌於助火耶況錢謂小兒臟腑十分九熱今猶致疑於白朮者而於此例用而弗疑謂之何哉雖有青皮之凉用以制肝然以一微寒又惡能監二溫之性乎今雖如白朮陳皮茯苓半夏歸芎炙草山藥山查薏以等平調之劑可矣文献通考載錢氏方八卷藥證直訣三卷與今本少異則今本尚未為全書此等方治又烏知門人閻孝忠編論錯雜而非錢氏因時制用之宜者耶觀方解石膏之誤則可驗矣又傷風下後餘熱用白朮散以治虛熱止渴夫木香之辛豈能生津又治慢驚脾虛身口鼻氣俱冷既曰無陽矣又用括蔞湯寒藥治之昔人已疑其誤則此方輩又可知矣雖然錢氏立論世宗之而無弊誠為小兒之

聖弟守其方而不知權者則不容於不慎也

類編大人熱證正誤節齋著發熱論蓋以諸熱外候雖同而其中實異世醫混而無別種種致誤今各分條析類庶幾所謂界限判然治法昭若醫當一一辨如某熱某證某證某治酌古準今自無混錯以誤人矣

敘次熱證綱領

大法濕熱相火為病最多諸熱當尋痰尋火而治緣痰火能生異証故曰火旺致病者十居八九火衰成疾者百無二三蓋人之有生常主於動皆相火之所為也相火易動五臟厥陽之火相扇妄動所謂六欲七情激之其火隨起素問病機十九條屬火者五河間推廣其說深契內經之意但有虛實之不同耳

丹溪云氣有餘便是火盧鼓菴曰有餘非充足有餘之謂乃本氣不足鬱遏反盛而為火丹溪不曾說得明白使後人竟不

識氣火之義斯言甚足以發前人未盡之旨於虛人老人及久病之人甚有旨趣故凡治熱病不可不審然亦有體實氣壯或飲食厚味而致熱者此又不可以本氣不足槩論之便直謂之有餘可也醫者但於脉証一一精詳細體驗之斯得矣雖然脉証亦難矣哉醫者須素定於胸中詳審於臨病斯可矣

一皮膚如火燎而以手重取之不甚熱者肺熱也或目白睛赤煩燥引飲用黄芩等味　兩脇肌熱脉浮弦者柴胡飲子

一五臟有邪身熱各異以手捫摸有三法凡熱輕手按之甚熱重手按之不甚熱此熱在肌表皮毛血脉宜清之若重按之至筋骨之分則熱蒸手極甚輕手則不甚熱是邪在筋骨之間也陰虛骨蒸等証是也輕手捫之不熱重按之不熱不輕不重按之

而熱是在筋骨之上皮毛血脉之下乃熱在肌肉也據此則熱在藏府表裏輕重淺深槩可得矣

經曰三陽為病發寒熱三陽謂大腸小腸及膀胱也凡邪在其中近後膀胱水則惡寒近前陽明燥則發熱故有往来寒熱也此為三陽之表裏非內外之表裏也

一除真正傷寒發熱及寒疫為病俱用仲景正法外其有四時感冒風寒發熱或積熱內作者切不可便如時人想像億度以在煖燠之室冒稱失蓋溫和之時謬指傷寒便用發散出汗等劑為害非輕今各條例于後醫者詳之

叙次熱證條目

潮熱　往来寒熱　傷風感冒發熱

食積發熱　積痰發熱　傷暑發熱

勞役發熱　溫病發熱　瘟疫潮熱附瘟毒

瘴氣發熱　陰虛發熱　槩論熱証治例

槩論熱症脉法

浮大而虛為虛或洪數細小而實為實　沉而實大為實火沉細或數難治陰虛等証不忌凡病熱有火者可治脉洪是也無火者難治沉細是也　洪數煩熱滑數心中結熱　牢為脾胃盛熱粗大者陰不足陽有餘也粗大謂脉洪大也　病熱而脉數按之不鼓動乃寒盛格陽而致之非熱也此須於風寒之時或中積寒氣更須於脉証審驗之　有形証是寒按之而脉氣鼓擊於指下盛者此為熱甚拒陰而生病非寒也有鼓擊類緊脉者切不可誤認詭雖同一有力然緊脉尤甚其來勁急按之長舉之若牽繩轉索之狀此為風邪擊搏為痛為寒浮緊為傷寒頭疼身痛沉緊為腹中有寒但有力而差緩也　寸口脉微為陽不足陰氣上入陽中則洒淅惡寒尺脉弱為陰不足陽氣下陷入陰中則發熱也與難經言覆溢相乘及六難浮損沉實之義皆診法

之至要於脈証大宜諳識覆如物之覆由上而傾於下也溢如水之溢由內而出乎外也弦数多熱緊而数寒熱俱發　關脈滑数胃中有客熱　浮数無熱者為風　熱病脈小而細喘逆不得大小便腹大而脹汗出而厥逆瀉注脈大小不調皆難治　脈浮而濇濇而身有熱者死　脈浮而数而有熱者氣也皆與熱証脈相類

諸脈遲為在臟屬寒数為在腑屬熱陰陽寒熱虛實用在有力無力中分之有力者為陽為熱為實無力者為陰為寒為虛　一陽病脈証不退反似陰脈凶汗後熱退見陰脈瘥

論潮熱附往來熱

一如平旦發熱熱在行陽之分肝氣主之寅卯辰木之位當是肝旺時也柴胡飲子或白虎加黃芩等方主之

一日晡熱熱在行陰之分肺腎主之一云血熱也如四順飲子之類治之或輕按

之暼暼見諸皮毛日西甚或喘咳洒淅寒熱輕者瀉白散重者涼膈白虎地骨皮散牡丹皮知母黄栢之類此皆肺燥欝熱火乘之故治宜清金一曰如地骨皮散之類

一有肌熱燥熱目赤面紅煩渴引飲晝夜不息其脉洪大而虚重按全無此肺虚血虚也若誤服白虎等湯必死此外証類感類實但脉洪大無力顯虚証也須詳辨之

一潮熱有二有實有虚惟傷寒日晡發熱乃胃實則無虚証若大便堅濇喜冷畏熱心下愊然睡卧不着此皆氣盛所謂實而潮熱者也更須審察虚實輕重治之輕則參蘇飲重則小柴胡之類大抵實熱暴病不用人參若久病洪虚用之

一潮熱自汗譫語發渴揭去衣被揚手擲足斑黄狂亂不惡寒但畏熱大便實者輕則大柴胡湯重則三承氣選用

一往来寒熱凢熱病欝甚而轉悪寒所謂亢則害承乃制陽極而反似陰者也與傷寒相類而實不同凢陽氣怫欝而為熱者盖皆不離乎六欲七情所致然也

附五臟熱証此合與前手捫條例相參看

心熱者微按之熱見於血脉或煩心心痛掌中熱而啘日中甚如黄蓮瀉心導赤散硃砂安神丸之類又或神氣怫欝而熱宜清神散之類掌中熱手厥陰火陰大陰又两手火熱為胃厥如在火中者灸湧泉穴五壯立止此熱甚者用之又手心中熱属熱欝用火欝湯或梔子香附半夏川芎神麯糊等丸心熱實則瀉心湯虚則硃砂安神丸之類

脾熱者不輕不重熱在肌肉遇夜尤甚其証必怠惰嗜卧四肢不收無氣以動瀉黄散之類主之面熱者足陽明妄見妄言

亦足陽明

肝熱者肉下骨上熱寅夘間甚脉弦四肢困熱或便難轉筋瘈多怒多驚等証外見宜瀉青丸柴胡飲子之類治之

腎熱者重手按至骨分其熱蒸手如火其人骨蘇蘇如虫食其骨困熱不能起于床滋腎丸等主之一足下熱而痛足少陰足外熱足少陽

肺熱已見篇首論中

若潮熱而氣消乏精神憔悴飲食減少日漸尫羸雖病暫去而五心尚有餘熱者此屬虛証宜茯苓補心湯十全大補養榮湯之類病後欠調理者八珍散主之

一晝則發熱夜則安靜是陽氣自旺於陽分也晝則安靜夜則煩燥是陽氣下陷入陰分也名曰熱入血室晝夜不分是重陽無陰也亟瀉其陽峻補其陰補陰之義即啓玄子所謂壯水之主以鎮陽光之意是也

一熱入血室者蓋衝脉為血之海即血室也男女均有此氣血得熱則妄行在男子則為下血譫語因邪熱傳入正陽明腑在婦人則為寒熱似瘧邪乃隨經而入若狂亂而血自下者用桂枝湯衝脉血海既云得熱今用桂枝湯劑不知何義豈借辛温以行滯而涼藥為主治乎還當制用辛井寒涼以清燥熱為是觀所顯熱証不宜温熱陽明下血譫語胸膈滿如結胸夜如見鬼小柴胡湯下焦畜血如狂小腹急結小便利大便黑與下利無表裏証脉数不解不大便此為瘀血桃仁承氣湯火陰病下利膿血或腹痛如魚腦者桃仁湯主之

一發熱身疼又如薰黄者湿也又日晡劇者此名風湿

一汗出而身熱者風也

一發熱晝少而夜多晝病在氣夜病在血是足太陽膀胱血中浮熱微有氣也既病人大小便如常知邪氣不在臟腑是無

裏証也外無惡寒知邪氣不在表也有時而發有時而止知邪氣不在表裏在經絡也夜發多而晝發少是邪氣下陷之深也此雜証當從熱入血室而論之

一氣實脉盛身熱煩燥宜三乙承氣湯涼膈散等下之在中四順清涼飲在下八正之類

凡熱在心膈者清之結于臟腑者蕩滌之更量人氣體虛實輕重用藥

一欝火可發當看何經此言內積之熱也風寒外束可散此外感之熱也大渴飲水不已者新掘一井泉取泥水澄清飲之一輕者可降重則從其性而升之如芩蓮梔子硝黃之類為降如羌活防風細辛等辛溫之劑為從其性之類是也

大抵暴熱病在心肺積熱病在肝脾亦有心肺積熱肝脾暴熱者不可槩視也

一虛熱如不能食自汗氣短屬脾虛以甘寒溫而行之實熱能

食口乾舌燥大便難屬胃實必辛苦大寒等藥下之

一發熱惡熱大渴不止煩燥肌熱不欲近衣其脉洪大按之無力或無目痛鼻乾者非白虎湯證也此血虛發燥當以當歸補血湯主之又有火鬱而熱者如不能食而熱自汗氣短者虛也以甘寒之劑瀉熱補氣非如能食而熱口舌乾燥大便難者以辛苦大寒之劑下之瀉熱補水之比當細分之不可槩論如言煩燥虛煩亦與實煩不同如傷寒煩者為真陽內鬱陰中伏陽之證與陰虛燥熱病本不同　又曰虛煩與傷寒相似身熱脉不浮緊不惡寒但熱而煩或不煩頭不痛

一四肢發熱者或口舌咽乾蓋心主火小腸主熱火熱來乘土位乃濕熱相合故煩燥悶亂也四肢者脾土也火乘之故四肢發熱也此作實論

一諸汗下并霍亂吐瀉後應有滲泄而津液去多五内枯燥者皆能虚煩以陰血不足以濟陽陽氣偏勝故虚熱端而煩宜參蘇飲去蘇加人參亦須酌量病後虚損輕重漸漸加減用之麥門冬煩而渴者獨味人參湯按此還須兼用血藥以為輔可也蓋凡熱病之餘津液既耗陰血亦虚若只偏行補氣竊恐餘火得助上升之病作矣小便不利者更加澤瀉若心經熱而燥者辰砂五苓散煩而嘔不喜食者橘皮湯煩而膈不寧者温膽湯大煩身熱甚者竹葉石膏湯血虚生煩見前証者茯苓補心湯

一種初得病時即悪寒身不疼頭不痛但煩熱者亦名虚煩内外俱不可攻之亦宜用參蘇飲去蘇加參或更加石膏半錢不愈者亦竹葉石膏湯其人虚甚不宜專用凉劑者亦宜茯苓補心等湯一曰火入于肺煩也火入于腎燥也其實心火為之也

傷風感寒發熱

脉法

脉浮而大者風浮而緩者名曰中風　腎而有力為寒邪傷衛　汗出而身熱者風也汗出而煩消不為汗解者厥也遲脉為寒浮而遲表有寒沉而遲裏有寒　右寸遲肺感寒浮緊為寒沉緊腹中寒　一可解之脉浮而虛不可解之脉浮而實浮而虛者只是在表浮而實者知已在裏如汗多不解者屬陽明也

一傷風頭疼發熱或惡寒怕風便宜解散用防風羌活升麻葛根白芷台芎荆芥之類以解其表若麻黄桂枝等方並於春分後忌之九味羌活湯尤妙一三時感寒無汗以羌活沖和去地黄加紫蘇藿香以發散之有汗用加減羌活湯

一傷風當有表裏虛實實者加麻黄虛者加乾葛俱解表也若

傷風表虛者當守衛氣而散風邪也若病者自覺不於大風處重感只輕小感冒上用乾薑等劑輕解之可也

一風傷衛氣寒傷營血緣氣本屬陽風亦屬陽陽則從陽故傷衛陽主開泄皆令自汗故用桂枝等辛甘溫之劑以實表血本屬陰寒亦屬陰陰則從陰故傷營血陰主閉藏皆令無汗故用麻黃等輕揚之劑以發表注一表中風在經絡中循經流以日傳變與傷寒無異但寒泣血故無汗惡風風散氣故有汗惡風為不同耳大凡以太陽經為始分注六經學者當知之

一原內挾痰熱其氣怫鬱風邪易於外束者若表虛受風專用發表之藥必致多汗亡陽之症若內挾痰熱而受風者亦宜內外交治不可專於解表也

一羌活沖和湯治春夏秋非時感冒暴寒頭疼發熱惡寒脊強無汗脈浮緊此是太陽膀胱經受邪是表證宜發散不與冬

時正傷寒同治法此方非獨治三時暴寒春可治溫夏可治熱秋可治濕治雜病之神法也　夏月本方加石膏知母名神术湯如服此湯後不作汗本方加蘇葉若非真感風寒不宜發汗當如上文所云喘而惡寒身熱本方加杏仁生黃汗後不解宜再服汗下兼行加大黃此釜底抽薪之法也　若脉浮緩自汗宜實表本方去蒼术加白术汗不止加黃芪再不止以小柴胡加桂枝芍藥一錢有神水二鍾薑三片棗二枚煎至一鍾如要汗出加葱白汁五匙入藥再煎一二沸如發汗用熱服止汗用溫服　冬月傷風用疎邪實表湯即加減桂枝湯春秋無汗用羌活冲和湯發表此即辛溫發散之義非如麻黃蒼术等例有汗用加減冲和湯實表夏月無汗用神术湯有汗用前加減冲和湯

一脉來浮緩無力有汗惡風為傷風風則傷衛氣除冬月用桂枝湯

充塞腠理上汗散邪外其餘月時以羌活冲和去地黄加紫蘇霍香以發散之有無汗用前治法

一凡傷風要審大陽陽明若証在大陽而誤用葛根湯則反引大陽之邪入于陽明不能解也不可不慎近世每用此湯調治小兒傷風尤宜審辨世多昧此湏兼脉証驗之

一凡風熱及感冒頭疼亦有六經之異如足大陽渻頭頂痛或脊亦痛脉浮緊川芎羌獨活麻黄之類主之　足少陽脉弦細往來寒熱頭角頷痛目銳眥與額痛或連頂巔柴胡之類主之　足陽明鼻額眼眶痛或自汗發熱悪寒脉浮緩長實者亦麻葛根白芷石膏之類主之　大陰頭痛其脉沉緩或體重腹痛蒼白术半夏南星之類主之　少陰頭痛脉沉細或足寒氣逆為寒逆麻黄附子細辛輩主之　厥陰頭痛其

脉浮緩兩耳上近前痛或連嶺顙呈䓁黄柴胡輩主之

一治大陽發熱無汗頭疼惡寒脊強脉浮緊用羌活冲和湯又治非冬時天有暴寒中人亦頭疼惡寒發熱亦此湯治之以代麻黄湯用大陽經之神藥也

一春夏秋三時有患頭疼身熱亦有惡寒者即是感冒非時傷寒之輕非比冬時正傷寒之重俱用辛凉之劑小發汗若裏証見者用寒凉之藥急攻下其表証不與正傷寒同治法裏証治則同

一四時有患頭疼發熱惡寒身體倦痛骨腿酸疼自汗出口微渴脉空浮大而無力名勞力感寒証當用温凉之劑温經散寒切禁大發汗裏証見者中和之劑加轉藥微下之不可急攻利

一身體沉重走注疼痛並濕熱相搏風熱鬱而不得伸也凡濕在上宜微汗而解經曰濕上甚而熱治以苦溫佐以甘辛以汗為效而止也不欲汗多故不用麻黃乾葛等劑濕在中下宜利小便此淡滲治濕也一云濕在下宜升散濕有自外入者有自內得者陰雨濕地皆從外入久則踈通滲泄之蒼朮治濕上下部都可用二陳湯加酒芩羌活蒼朮散風行濕最妙

一或感冒熱深表熱入裏更不可再發若誤以辛甘熱藥汗之不惟汗不能出將見熱病轉加故表熱有服石膏滑石知母甘草葱豉之類寒藥汗出而解者及熱病半在表半在裏者服小柴胡湯寒藥亦能令汗出而愈熱甚者服大柴胡湯下之又甚者大小承氣二湯或調胃承氣下之皆大寒之劑能令汗出而愈但中外怫鬱結熱而無汗者緣以辛甘熱藥為陽勢能熏蒸而作汗蓋不可偏恃以為常也凡治上中下內外

一切熱證但當隨其淺深察其微甚適其所宜合用辛苦寒

凉治之結散熱退氣和而愈或熱甚欝結不能開通者又法當用辛苦寒凉下之熱退結散而自愈矣慎不可悉知發表槩用辛甘熱藥而不知變者斯善矣

一頭疼發熱項脊強惡寒無汗用發汗藥二三劑汗不出者醫不識此不論時令遂以麻黄重藥及火劫取汗誤人死者多矣殊不知陽虚不能作汗故有此証名曰無陽証家秘此說還論非特傷寒之重者故曰不論時令惟感冒寒氣深重故用諸温熱劑然既非正時傷寒莫若用如九味羌活及冲和羌活等為穩便也

一如少陽証頭疼往来寒熱脉浮弦此三証但有一者是為表也口失滋味腹中不和大小便或閉或泄但有一者是為裏也如無上下表裏証餘者皆虚實熱也　又外傷一身盡熱先太陽也從外而之内者先無形也内傷手足不和兩脇俱

熱知先少陽也從内而之外者先有形也内外俱傷人迎氣口俱盛或舉按皆實大表發熱而惡寒腹不和而口液此内外兩傷也　凡診則必捫手心手背手心熱則内傷手背熱則外感兼以脉辨之一外感鼻流清涕頭痛自汗時時有之若内傷此証間而有之傷風鼻中氣出麄合口不開肺氣通于天也若風熱欝甚者亦氣麄張口

一凡傷風諸方俱是解表之劑蓋以風從外入之邪也其所挾有寒熱温凉之不同故此分辛温辛平辛凉之異然風雖外邪傳變入裏亦宜從証施治

食積發熱

一食積頭疼發熱膈滿消湏審病者曾經飽食或晚食因而發熱惡食頭疼是也

脉法

脉浮滑疾為宿食　浮大而澁為宿食　沉滑為宿食　脉實為食積　實而浮脾熱消中　短脉亦宿食　促為瘕結積聚　右関或弦或滑氣口脉必緊盛

一傷食口無味鼻息氣匀脾氣通于地也

一飲食失節內傷元氣火不兩立為陽虚之病以甘溫之劑除之如黃芪人參甘草之屬　若胃虚過食冷物抑遏陽氣於脾土為火欝之病以升散之劑發之如升麻葛根之属王安道又分飲食勞倦為有餘不足之論宜叅考之

一食積痰積胸膈痞悶腹脹或吐或否隨証治之

一傷食發熱脉数類傷寒但左手人迎脉平和但身不疼痛是也人迎勝氣口脉為外感若人迎平和知非外感矣　若飲食不節寒溫失所則先右関胃脉損弱甚則隱而不見或內顯脾脉之大数微緩時一

代也宿食不消或氣高而喘身熱而煩其脉洪大而頭痛或惡寒氣口脉緊盛但身不痛為異耳輕則消化重則吐下此良法也或渴不止其皮膚不任風寒而生寒熱與外感傷寒多相似而實不同凡治猝然心腹疼痛便須問其曾何飲食因何傷感有無積滯便與和中消導之藥大法方治如神麴大麥芽山查黃蓮大黃厚朴已上三味各用薑制若食積痞塊在腹作熱者再加黃蓮厚朴積堅者再加蓬术醋煑昆布各三錢

一身熱聞食必嘔二陳加砂仁一錢青皮五分服之或加蒼白术山查川芎服之

一虛弱人食積王海藏羅謙甫俱曰當先補虛氣血既壯積滯自行故曰知滿座皆君子則雖有一小人無容地矣但先調其中使能飲食是其本也養正積自除之義意亦類此

一凡病熱已解而及暮尚微熱者此由病者差安而強與穀脾

胃尙弱不能消穀故也但損穀則愈

方具後（此亦一條病候無他變異故附方畧以便採用）

一保和丸治食積脾胃虛者以補藥下之

半夏（熱水泡七次洗去滑薑汁浸炒） 山查（酒拌蒸二兩取肉）

神麯（炒） 白茯苓（去皮各一兩） 蘿蔔子（炒稍去浮皮）

陳皮 蓮喬（各五錢）

右細末粥丸或以神麯為糊丸和白朮二兩名大安丸

一食積痰積胸膈痞悶飲食所併咳嗽等証

半夏（一兩） 皂角（二兩去皮弦） 杏仁（六十箇去皮心） 巴豆（六十箇去油）

右四味用麩四盞同炒令黃色為度去麩不用為細末

寒食麵二兩炒令黃色醋煑糊為丸如菉豆大每服三

丸生薑湯下食後臨臥（體厚實者量加數）

一枳實丸　陳枳實一兩　白朮二兩　用新荷葉一皮煮粥帶稠擂極爛和捜為丸梧桐子大若無新荷葉舊者用二皮每服五七十丸白湯下加陳皮一两名橘枳朮丸此方固好但多服恐燥津液或外加當歸白芍以為輔可矣

右治老弱元氣虚弱飲食不消及臟腑不調心下痞悶痰加半夏積加神曲大麥芽炒破滯氣加木香三五錢

積痰發熱

一中焦有痰令人增寒發熱惡風自汗胸膈滿有類傷寒但頭不痛項不強為異

脉法

寸口脉浮　左右關脉大者膈上有痰可吐之　病人百藥不効關上脉伏而大者痰也　右寸脉實痰嗽煩滿　右寸

滑痰飲嘔逆　結脉為痰　眼皮及眼下如灰烟黑者痰也

病人一臂不遂時復移在一臂其脉沉細非風也必有飲在上焦

一痰鬱發熱或體肥味厚或瘦人體怯痰涎不散蓄積成熱宜開導之大槩痰証發熱便有所顯諸候未有只痰發熱無他兼証者觀玉機微義諸痰論中可見然亦有積熱之人其氣炎上鬱為痰飲抑遏清道陰氣不升病熱尤甚而單發者亦間有之

一覺胸膈緊塞痰涎交固稠濁者必用吐　脉浮者宜吐凡用吐藥宜升提其氣便吐如鵞翎探吐或生薑蘿汁瓜蒂散之類凡吐用布勒肚於不通風處行之密處不勒亦可

一患增寒壯熱頭疼昏沉迷悶上氣喘急口出涎沫醫不識此

皆為傷寒中風治之誤人多矣殊不知此因内傷七情以致痰迷心竅神不守舍痰因而生名曰挾痰如鬼祟此痰証類傷寒故也一加味導痰方便附于後

茯苓　半夏　南星二味泡制　枳實已上等分

枯黄芩量加数　白朮火　陳皮去白倍用　甘草火

桔梗　黄蓮　瓜蔞等分

若年壯盛先用吐痰法次服此湯入竹瀝薑汁温服一應痰方俱見篇後

附脚氣類傷寒者

一頭疼身熱悪寒支節痛便秘嘔逆脚軟屈弱不能轉動但起於脚膝耳禁用補劑及淋洗用加減續命湯

傷暑發熱

一傷暑發熱是火邪傷心元氣耗散而邪熱入客於中故發為熱汗大泄或自汗煩燥大渴無氣以動是外之熱邪傷營也治主内

脉法

其脉虚細而遲無力又或隱伏　脉虚身熱得之中暑　脉洪大而数者定發譫語　虚而数者其人因勞傷暑　或浮而散　或弦細芤遲

一凡治温暑病大抵不宜發汗蓋過時而發不在表也宜以辛凉之劑解之如羌活冲和湯之類是也此方又治傷寒見風傷風見寒為至穩

一中暑身熱背惡寒面垢自汗煩燥大渴毛聳昏昏倦怠而身不痛内外俱熱燥四肢微冷用白虎湯　天久淫雨濕令大行蒼朮白虎湯　若元氣素弱而傷重者清暑益氣等湯治

之　痎逆惡寒橘皮湯　熱悶不惡寒竹葉石膏湯　頭痛
惡心煩燥心下不快小便不利五苓散下消暑丸之類治之
中暑用小柴胡加香薷亦便　脉托遲腠理開洒然毛聳
口開前板齒燥白虎加人參湯　霍亂煩燥大渴腹痛四肢
冷脚轉筋以黃蓮香薷湯須頓冷服之如熱服反為吐瀉矣　或黃蓮香薷飲
暑熱發渴脉虛人參白虎湯

一東垣清暑益氣湯治長夏濕熱蒸人人感之四肢困倦精神
少胸滿氣促肢節痛或氣高而喘身熱而煩心下痞悶小便
黃數大便糖而頻或渴或痢不思飲食自汗體重黃芪升麻
蒼朮各一錢人參白朮神麯陳皮各三五分炙草黃栢麥冬
當歸各三分葛根澤瀉青皮五味各二分

一發熱頭痛燥渴背惡寒微汗脉虛無力名中暑用寒涼之劑

清之

一凡暑熱傷氣則氣消而脉虚其為証汗煩則喘喝靜則多言身熱而煩心痛大渴引飲頭疼自汗倦怠少氣或下血發黃生癍甚者火熱制金不能平木搐搦不省人事治暑之法清心利小便最好　暑傷氣宜補真氣為要　有惡寒或四肢逆冷甚者迷悶不省而為霍亂吐利痰滯嘔逆腹痛瀉利此則非暑傷人乃因暑而自致之病也以其亦因暑月而得故亦謂之暑病然治法不同各方見後

一秋暑因熱内傷冷物外過寒涼以致惡寒發熱胸膈飽悶飲食不進或兼嘔吐泄瀉此内外俱傷寒涼也方見後

一身熱頭疼燥亂不寧者或身如針刺者此為熱傷在肉分也當以解毒白虎湯加柴胡或咳嗽發寒熱盜汗出不止脉數

者熱在肺經火乘金也此亦中暑宜爲清肺湯柴胡天水散之類急治之

一暑熱之時或人避暑納凉於深堂廣廈凉臺冷舘大扇風車得之者是靜而得之陰証也其病必頭疼惡寒身形拘急肢節疼痛而煩心肌膚火熱無汗此爲陰寒所遏使周身陽氣不得伸越宜用辛溫之劑以解表散寒用厚朴紫蘇乾葛藿香羌活蒼朮之類若內復傷氷水生冷瓜果之類前藥再加乾薑縮砂神曲之類此非治暑也亦因暑而自致之病也

一盛暑之時或於道途勞役得之或勞形得之又或身體虛薄食少過勞又或齋素之人胃氣久虛凡此壯熱煩悶惡熱飲水身疼皆與陽明中熱白虎証相類若誤投白虎湯旬日必死此脾虛元氣不足口鼻中氣短促而喘日晡陽明得時之

際病必少緘若外感日晡之際其病大作於此可辨若有疑似之証必當待一二日求醫治療則不致謬誤矣慎之

勞役發熱

一勞苦而發熱即東垣内傷之意是陽氣自傷不能升達降下陰分而為内熱乃陽虛也屬肺脾此病輕者二三服自愈若重者用東垣法補之重甚者可加熟附子

脉法

脉大而無力屬陽虛　又浮大而無力　或虛細　指下尋之往来細小虛軟無力應手散細如物之浮水中輕手乍来重手却去此血冷氣虛為元氣不足之候也　浮而微為陽不足沉而微為陰不足　散大而軟舉按豁然不能自固皆氣血俱虛之候　又脉僅三至而遲亦氣虛不足之候也凡

已上諸虛脉反此則皆為實須詳辨之

一勞力辛苦而發熱切不可誤認外感輕易發汗凡遇發熱醫者當審此人平日或盡力工役或用心勞事須明辨之縱未診候已多瞭然於胸中矣又須兼看或因勞力過度而繼以飲食不調或飲食不調之後而加之勞力過度皆謂之內傷元氣不足之証宜用補藥治之

一辛苦勞役之人有患頭疼惡寒身熱加之骨腿痠疼微渴自汗此為勞力等証須用補中益氣兼辛温之劑為良經云温能除大熱是也若當和解者即以小柴胡加減和之下証見者即以大黃微利之切勿過用猛烈為害非輕

一身熱頭疼全無但作燥悶面赤飲水不得入口醫者不識呼為熱証而用涼藥致誤多矣殊不知元氣虛弱是無根虛火泛上名曰戴陽証用益元湯等治之

一陽虚而胃氣不足陰陽不升降致發熱者宜灸之以助陽氣藥用苦寒以瀉血中之火熱又非止陰虚之一例也

一内傷及勞役過度發熱只手心熱手背不熱外感風寒則手背熱手心不熱此辨甚爲明白又内傷頭痛作輒不常外感頭疼常常有之直須傳入裏實方罷

一補中益氣湯方治形神勞役或飲食傷中頭目暈疼或自汗無力惡寒而渴氣高而喘身熱而煩所用參芪等藥乃謂温能除大熱者何哉緣勞傷元氣則元氣損乏或下陷不升則鬱遏反勝而變爲火斯大熱之所由作也今用如參芪等甘温補氣則氣有所資鬱者自行怯者自壯正氣復而邪自退又或汗自出而熱解矣此温能除大熱之至理也若體不甚虚又未大勞與夫痞滿等候恐非此方之所宜也說見首篇

一或勞心思慮損傷精神頭眩目昏心虛氣短驚悸煩熱宜補血為主方藥槩具于後心神虛乏宜火用補心補氣之藥佐之

人參一錢上下　五味子一五粒錢

麥門冬去心一錢　白芍一炒錢

白茯神去心一錢　酸棗仁二炒一錢

炙甘草五分　陳皮五分

當歸一錢酒洗　山梔子五分炒

生地黃八五分酒洗　川芎五分

生薑三片水一盞半煎至七分食前溫服觀節齋此方不用升柴亦南北忌宜之大意也

一溫病發熱

一發熱惡寒脉來浮數者溫病也自汗多眠陽脉浮滑陰脉濡弱者風溫也一日溫病發熱不惡寒而渴溫病也暑病亦然比之溫病尤加熱也夫不畏寒則病非外來渴則明其熱自內達表無裏証明矣

一春秋冬時或過暄暖之氣過盛人感之頭疼發熱在春宜用辛凉甘苦寒之藥在冬宜用清凉蓋冬寒時也而反病温焉此天時不正陽氣反泄用藥不可温熱又有一種時行寒疫却在温暖之時時本温暖而寒反為病此亦天時不正陰氣反逆用藥不可寒凉

一風温一証尺寸俱浮素傷于風因時傷熱風與熱搏即為風温其証四肢不收身熱自汗頭疼喘息發汗昏睡體重不仁慎不可汗汗之則譫語燥擾目亂無光病在少陰厥陰二經萎蕤湯小柴胡選用未醒者柴胡桂枝湯發汗後身灼熱知母葛根湯渴者瓜蔞根湯脉浮身重防已湯誤汗風温防已黄芪湯

一温熱病者或因冬時感寒偶不即發寒毒藏於肌膚至春變

温至夏發熱熱又甚於温也温病發于春三月夏至前是也

發熱咳嗽頭疼身痛口燥渴脉浮弦熱甚者小柴胡湯加五味子渴去半夏加瓜蔞人參酌量可否用之脉實煩渴者大柴胡湯微利之　熱微升麻葛根湯解肌湯微熱不渴小柴胡加桂酌量可否用之渴者加五味去半夏加瓜蔞人參　脉實煩渴者大柴胡湯微利之以其脉實必大便難也　虛煩者竹葉石膏湯然用羌活湯解之為當　渴加知母石膏　節庵治時行三月後謂之晚發頭疼身熱惡寒脉洪數先用冲和湯不愈後用此湯

麻黄　甘草　黄芩　石膏　滑石

蒼术　川芎　羌活　細辛

右水二鍾薑三片槌法入豆豉一撮葱白二莖煎之熱

服取汗中病即止

一夏月熱病發熱頭疼身體重痛不惡寒而惡熱或畏寒惡熱其脉洪藥不可溫宜羌活湯一云可用神术湯熱病三日後脉乃数邪猶在經神术湯或值淫雨或病有濕蒼术白虎湯渴加知母石膏三月至夏謂之晚發梔子升麻湯有少陽証者小柴胡湯更與前方内選用若春夏有悪風悪寒類傷寒証者蓋當時暴中風寒之氣新病即非冬時受寒適用羌活湯治之

一春分至夏至前後或至秋霜降前有頭疼發熱不悪寒而渴者或身體痛小便短者愈加熱者為熱病或老幼相傳者名時疫証俱用辛凉之藥解肌不可大發汗裏証見者用寒凉之藥急攻下若誤下之猶未為甚誤汗之變不可言當須識

此為晚發治例同表証裏証頗同言同傷寒例也方論詳具的殺桅法中

一患前諸証或自汗出口微渴脉至浮大而無力名勞力感寒証當用溫涼之劑溫經散寒切忌大發汗孫真人曰凡溫病身熱五日已上汗不出刺大泉畱針一時則固欲汗但不可大發耳

一溫暑之月民病天行瘟疫熱病治宜清熱解毒兼治內外方治大約見下

枯芩一錢酒炒　知母同上　石膏一錢半　升麻一錢

黃蓮五分酒炒　生甘草三分　羌活一錢半上下　白芍一錢炒

生地黃五分酒製　乾葛一錢

右生薑三片水一盞半煎至七分食前熱服查煎四分繼服若胸膈痞悶痰涎壅塞者加枳實半夏各一錢　生薑汁二匙　若脾胃欠充加白朮一錢半

瘟疫發熱

一瘟疫潮熱乃天行温疫熱病多發於春夏之間沿門闔境相同者此天地之癘氣當隨時令參運氣而施行如子午之歲少陰司天陽明在泉至三之氣少陰君火繼風木之氣民病疫癘盛行又如卯酉之歲陽明司天少陰在泉二之氣乃少陽相火民病疫癘大行之類此運氣也君非其時而有其氣者此時令也宜用河間辛涼甘苦涼之藥以清熱解毒又云治有三法宜散宜降宜補所宜補者蓋為體虛之人設也十中治法之一也又云微解表裏証見者急攻下

脉法

左寸浮大於右寸或浮緩而盛按之無力宜表藥常補此兼內傷也

論治

一大頭痛為天行病乃濕氣在高巔之上用羌活黄芩酒炒大黄酒蒸隨証加減　熱重用大黄黄芩黄連桔梗蒼朮防風滑石

香附人中黄為末神麯為丸每服五七十丸氣虛四君子湯痰多二陳湯送下熱甚加童便芒硝之類隨氣血痰火虛實用之人中黄冬月以竹一段刮去青留底一節餘節打通以大甘草納竹筒內以木塞其上竅以留節插於糞缸中浸一月取出晒乾待用大治疫毒

一天行大頭病發熱惡寒頭項腫痛脉洪取作痰火治之其喉痺者亦照此方治之

附芩連參毒飲

柴胡　甘草　桔梗　川芎　黄芩

荆芥　黄連　防風　羌活　枳殼

連翹　射干　白芷　先加大黄利去一二次後

依本方去大黄加當歸水二鍾薑三片煎至一鍾鼠粘子一撮每煎一沸槌法入竹瀝薑汁調服

一解肌湯治瘟氣大行頭痛壯熱口渴不惡寒　又敗毒散治瘟疫傷風風濕頭目昏眩四肢疼痛增寒壯熱項強目精疼尋常風眩拘急　一冬瘟為病蓋非其時而有其氣者冬氣君子當閉藏今反泄于外而得之

一疫病緣人不近穢氣免傷真氣此與前溫暑治又不同表証見者人參敗毒散等治之　半表半裏証者小柴胡　裏証具者大柴胡下之東垣有法有方　胃陽明邪熱大甚資實少陽相火而為之陽明渴加石膏少陽渴加瓜蔞根　陽明行經升麻芍藥葛根甘草　太陽行經羌活荊芥防風并與上藥相合用之　頭疼酒芩口渴乾葛身痛羌活桂枝當斟酌不可輕用防風芍藥　六神通解散治時行三日前加葱白香豉煎服而汗之立效中病則止不可盡劑

一瘟毒者冬、月感寒毒異氣至春始發也表証未罷毒氣不散故有發癍之証心下煩悶嘔逆咳嗽後必下利寸脉洪數尺脉實大為病則重以陽氣盛故耳治法通用玄參升麻湯黑膏主之（明理論云凡赤癍九死一生黑癍不救）

附蝦蟇瘟方藥大約

九味羌活湯　霍香正氣散　六神通解散

黑奴散　萎蕤湯　神术散

辰砂四零散之類（各方俱見篇後）

瘴氣發熱方論

一春秋時月人感山嵐瘴霧毒氣發寒熱胸膈飽悶不思飲食

治當清上焦解內毒行氣降痰不宜發汗

一寒溫不節汗身脫衣巾感冒風寒之氣氣閉發熱頭疼此傷

寒類也但嶺南氣温易出汗故多類瘧重則寒熱不退輕則為瘧南方氣升故嶺南人得此病者率皆胸滿痰涎壅塞飲食不進與北方傷寒只傷表而裏自和者不同治當解表清熱降氣行痰一方用於寒凉時月及雖在温暖時而感冒風寒者亦瘧類也方治槩具于後

羌活一錢五分 蒼术泔浸 柴胡 黄芩

橘紅去白 半夏泡制 枳實各一錢 炙甘草四分

川芎一錢 右生薑五片水一盞半煎至七分食前温服

滓煎四分取汗出止服

又方

黄蓮薑水炒 黄芩酒炒 升麻各一錢

木香二分 蒼术錢半泔浸塩水炒 厚朴薑制

枳實麩炒 半夏泡制 桔梗去芦 柴胡

陰虛治例

一陰虛癆怯咳熱病證率皆肺腎俱虛丹溪嘗合二陳四物為二四湯一補一瀉且云一劑之頃痰火如洗若初病為宜設病日久則雖各為專治仍於補腎居多瀉肺次之今時但見咳嗽等證不審病情新久陰陽虛實輒用梔翹芩蓮枳殼等劑重瀉其肺務圖暫快以悅人心而不知治本之義予見往往誤此者多矣故昔人譬云猛政一快者懼心一亡且肺火之升由腎水真陰不足法當正本清源使水升而火降可也故曰壯水之主以鎮陽光旨哉斯言然非歲時滋補未由可痊故丹溪曰補藥無速效之理昔人云醫之王道正此類也若滋陰等藥不外丹溪節齋方治但白朮乾薑自宜裁酌乾薑忌宜見前滋陰篇論雖古人有用寒遠寒之戒然陰腎既虧則群陰投合

補養專精設慮寒涼傷脾又須用如神曲陳皮大棗杜仲山茱萸等監制又或於三四日外間服調中如白术等藥數劑可也至若脾虛食少又須專爲調中次爲補腎可也書曰十二經絡皆禀受於胃又爲五臟之主且凡藥之行亦須中氣健行傳送乃克成功故白术半夏似不必混施於滋陰之宜而但專制於調中之劑斯爲得矣若中氣頗强則宜頻進滋陰十之六七痰火之劑十之二三調中等此酌量重輕隨宜應變存夫人而已又凡病人抱疾日久猶稱感冒醫者不諳脉證動爲解表錯亂寒溫遷延沉痼又肺虛久咳而宜於補者雖用如阿膠兜零五味沙參款冬花之類爲宜然尤當以滋陰爲重何也蓋腎水不枯火不凌肺清潤化行又何肺虛之患哉但節齋嘗辯參芪至尤取用更宜裁酌若五味子雖

肺腎二經本藥然亦宜於久病書云邪氣盛則實恐收歛之性迅速也醫者治此但能於中氣審慎而無所妨乞於肺腎加之意焉則治斯善矣故曰金水二臟為生化之原旨哉

一憂思過度病候節齋嘗以勞心好色並舉而言意以二者之患損傷真陰陰血虛而陽火旺統宜用四物湯加黃栢知母以補陰蓋以腎精心血同一真陰之類是也愚竊以勞心一症還當擬如勞役證治蓋大同而小異也若例于好色之證而以四物之類治之恐未能盡治法之善也何也蓋勞心勞役從苦而得之也其抑鬱也均好色之證從樂而淫者得之也其病情則異一條一舒致疾頓殊而治法不無少異是故勞役主氣而言而神在其中勞心主神而言而氣寓乎內其與好色主治在精急於腎而緩於心者自不侔矣况好色陰

虚當如篇首所云如群陰之藥以從其類是也若参芪等劑在所當慎惟火邪退定體虚氣乏收功保全之際酌用可矣若勞心病候雖調養陰血與好色治同至如人参等劑未容不用且本草云安精神定魂魄開心益志未有不兼心氣而治者要之養血之劑居多是奚可以例同於滋陰之治也哉又肝心二經母子之義互相為病每見憂思勞心之人神既不寧而魂亦不定寤多寐少或驚悸怔忡怠倦健忘種種之病作矣甚至竟夕而不得眠者何哉盖平人心静則神寧神寧則安臥無恙故卧則魂歸于肝肝藏魂也今神不寧而不寐則魂不得歸肝而多寤也彼四物者惟當歸能補不足有使氣血各有所歸之名若安魂定志等主治之説則未之有也昔羅謙甫治一書生通宵不寐乃引易書遊魂為變而以真

珠為君龍齒安魂虎精定魄之類治之而愈則今之人僅能用如心經目前之劑者又自不侔矣此又治心之家一法外意也醫者其可忽諸

槩論熱証治例

一人壯氣實火盛顛狂者硝水冰水之類與之若虛火強盛者以生薑湯與之若投冰水正治立死

凡去上焦濕熱實熱須酒洗黃芩梔子以瀉肺火如虛煩熱而用黃芩則傷肺氣須先用天麥門冬保定肺氣然後用之無用之可也

一去中焦濕熱實熱俱用芩連等劑若脾胃氣虛不得轉達又當用白朮茯苓黃芩葛根之類監之

如下焦有濕熱腫痛并膀胱有火邪者須用酒洗防已草龍膽

黄栢知母之類固是捷藥若肥白人氣血虛者宜用蒼白朮南星滑石茯苓之類若瘦黑之人必用當歸紅花桃仁牛膝實節之類

一病熱兩顴火赤不能自禁煩燥已甚至欲顛狂踰水者此又一陰症候也須詳辨之一發熱面赤煩燥不安揭去衣被飲冷脉大人皆不識認作陽証誤投寒藥死者多矣必須憑脉下藥至為切當不問浮沉大小但指下按至筋骨全無力者必有伏陰不可與凉劑急與五積散一服通解表裏之寒隨手而愈若有沉寒甚者須用乾薑以退之若脉洪大按之無力重按全無便是陰証據此則凡病之消息皆當以脉為宗不可不慎也若審其人並未冒寒又無飲食積冷但見四肢身熱脉數煩渴譫妄此陽厥也當用寒凉如承氣白虎等劑然亦有手足厥冷自汗脉沉滑者亦當從熱証治例蓋亢則害承乃制火極似水亦致此也但脉按有力或腹痛後重大便稠粘小便赤遊其四肢雖冷然上不過肘下不過膝此熱深陽厥也若陰厥脉沉而無力厥已上諸証身面怯寒四肢厥冷上過乎肘下過手膝此陰厥也四逆等治之大抵此証多於傷寒見之其有雜証發作者蓋因陽熱極深或失下而至於身冷反見陰証脉微欲絕而死者止為熱極而然俗因妄謂変成陰証急用熱藥助其陽氣

以致十無一生者不可不審辨之至於上文所謂病熱所顯諸証為陰証者此正陰厥陰証似陽者也當從温熱治之書曰厥冷若直至臂脛以上則為真寒須急用薑附等藥温之少緩則難療矣此多傷寒見証也因論陰厥發熱証治故并及之

大法小熱之氣凉以和之大熱之氣寒以取之甚熱之氣汗而發之【此句指感冒諸外証而言】發之不盡則逆制之制之不盡求其屬以衰之苦者治臟臟屬陰而居內辛者治腑腑屬陽而在外又曰內者下之外者發之又宜養血益陰其熱自除

一怫熱鬱結諸証不必止以辛甘熱藥能開發也如石膏滑石甘草葱豉之類寒藥皆能開發鬱結以其本熱故得寒則散也夫辛甘能發散者以力強開衝也加桂枝麻黃等劑設若發之不開攻表不中者其熱轉甚故善用之者須加寒凉又裏熱鬱結不當發汗而誤以熱藥發之為害甚矣

一身熱惡寒者，緣邪熱在表而淺，邪畏其正，故病熱而反惡寒也。至有病熱已甚而反作寒者，此乃亢則害，承乃制之義，豈併審之。前所言者指邪熱之淺者也，後所言者指邪熱之深者也。一有陰陽相勝者，亦發熱而反惡寒也。

一陰陽相勝，陽不足，陰往乘之，則先寒後熱；陰不足，陽往從之，則先熱後寒。陰陽不居其分，故寒熱交爭，是以發熱而惡寒也。此雜病陰陽二氣自相乘勝。治法與瘧參用。

一柴胡瀉肝火，須用片芩佐之。片芩又瀉肺火，須用桑白皮等佐之。若鼠尾者，能瀉大腸之火也。黃連瀉心火，若用豬膽汁拌炒，更以草龍膽佐之，大要能瀉膀胱之火。梔子瀉三焦之火，在上中二焦連殼，在下去殼用之。人中白非獨瀉三焦火，及膀胱之火從小便中出。

一病熱証，須審內傷外感，有餘不足。不論病人形氣有餘不足只當於病氣審之但病来潮作之時病氣精神增添者是為病氣有餘乃邪氣勝也急瀉之以寒凉酸苦之劑若病来潮作之時精神困弱者為病氣不足乃真氣不足也急補之以辛甘温平之劑若病人形氣不足病氣亦不足此乃陰陽俱不足也用補以甘温禁用針或灸氣海可也羅謙甫亦論形氣不足病氣不足為血氣俱虛者則形氣之虛實宜熟審之

一虛中有熱羅謙甫嘗治一人年二十有三春末病發熱肌肉消瘦四肢困倦嗜臥盜汗大便糖多腸鳴不思飲食舌不知味懶言語熱時来去約半載餘診其脉浮數按之無力為灸中脘乃胃之候也使引清氣上行肥腠理又灸氣海乃生發元氣滋榮百脉長養肌肉又灸三里乃胃之合穴亦助胃氣徹上熱使下於陰分以甘寒之劑瀉熱火佐以甘温養其中

氣食粳米以固其胃慎言節食懲忿窒慾病氣日減數月病得平復逮二年肥盛倍常或曰世醫治虚勞病多用苦寒之劑君用甘寒之藥如何予曰内經云火位之主其瀉以甘臟氣法時論云心苦緩急食醋以收之以甘瀉之瀉熱補氣非甘寒不可若用苦寒以瀉其土使脾土愈虚火邪愈盛又云形不足者温之以氣精不足者補之以味勞者温之損者益之先師亦曰人參能補氣虚果係氣分虚損之人何不可之有

一辨内外傷候人迎脉大於氣口為外傷氣口脉大於人迎為内傷外傷則寒熱齊作而無間内傷則寒熱間作而不齊外傷惡寒雖近烈火不除内傷惡寒得就温暖即解外傷惡風乃不禁一切風寒内傷惡風雖些小風寒亦惡外傷證顯於

鼻故鼻氣不利而壅盛有力内傷者不然内傷證顯在口故口不知味而腹中不和外傷者無此外傷則邪氣有餘發言壯厲且先輕而後重内傷則元氣不足出言懶怯且先重而後輕苟或内傷外感兼病而相挾者則其脉證必並見而難辨尤宜細心求之若顯内證多者則是内傷重而外感輕宜以補養爲先若顯外證多者則是外感重而内傷輕宜以發散爲急此辨法之大要也手背手心有無熱辨已見前

一内傷有兩手脉洪數而實及驗諸形色又不類實脉此蓋服凉藥所致因與温補脉漸小而得愈者蓋肥白人虚勞多氣虚也

一有饑寒作勞頭疼惡寒發熱骨節疼無汗妄語證類傷寒脉洪數而左尤甚者此胃虚作勞感寒用如參芪歸术附子等

劑大補其虛當自汗而解

一凡治雜病先須調氣次療諸疾無損胃氣是其要也若血受病亦先調氣胃氣不暢則血不行又氣爲綱夫也夫不暢婦不隨也

一凡世間熱證十居八九今條例篇門述方叙論庶幾已括雜證之半至於因時損益守經行權則又非定方之所能盡也

醫畧正誤論治卷之上終

類編小兒熱證正誤

黄帝圖經云吾不能察其幼小者為别是一家調理耳又云小兒如水上之泡草頭之露者以表用藥無令造次焉蓋小兒臟腑嬌脆血氣懦弱肌體不容精神未備故稱不易醫也

凡小兒三歲已前指脉紋見者可驗病狀脉紋從寅關起不至卯關者病易治若連卯關者難治如寅連卯卯侵過辰者十難救一○脉紋小或短者病易治也○小兒曰應變蒸之時各有所顯證候脉雖亂而無苦也○凡診小兒脉大指以按三部脉多雀鬪一息五六至為平和八九至為發熱四至為內寒浮為風緊為風弦為風癇沉者乳不消沉緩為傷食促急為虛驚弦急為氣不和為客忤氣沉細為冷大小不調為鬼祟浮大數為風熱伏結為物聚单細為疳勞風腸痛多喘嘔脉洪為有虫又

曰紫風紅傷寒青驚白色瘡黑時因中惡黃即困脾端又赤者熱也隨證治之面上證左腮為肝右腮為肺額上為心鼻為脾頦為腎目內症赤者心熱導赤散主之淡紅者心虛熱生犀散主之青者肝熱瀉青丸主之又曰青者腹痛桂芍藥淺淡者補之黃者脾熱瀉黃散主之無精光者腎虛地黃主之白而混者肺熱瀉白散主之

一宣和御醫戴克臣侍翰林日得叔和小兒脉訣印本二集一本云虛實須將六至看一本云八至看遂與內臺高識參詳學義審察至數就診五歲兒常脉一息六至者是八至者非蓋始因鏤板之際誤去六字上一點一畫下與八字相類致此訛傳殆與卒以學易之誤同也嘗考默菴張氏脉訣亦云小兒常脉

一至只多大人二脉為平則六至明矣愚嘗診小兒平脉每無八至然舉世之誤至今慣然以八至為平誤亦甚矣

類辯熱證綱領

两腮紅　大便秘　小便黄　渴不止　氣粗急　脉息急

足脛熱　揪揭露衣煩啼暴叫

已上不可服温熱藥

面青白　糞青色　腹虚脹　嘔乳奶亦有火痰作嘔者但顯諸熱等候

眼珠青　脉微沉　足脛冷

已上不可服寒涼藥大抵小兒一團純陽其臟腑十分中九分熱也况富貴愛惜之家包裹厚味已甚故火旺致病者十居八九感冒致疾皆十居一二設有欠謹之寒合擬大人風寒調治

一小兒除變蒸只在五百七十四日之内身熱脉亂或汗出不乳或吐瀉神昏多啼唇上生珠子為驗每三十二日一變六十

四曰一再變或二十八日及三十日一變在其數發作者是也蓋有禀受不同或前或後有之至三五日方歇不須輕治倘有所顯之證頗重者亦須斟酌數品之劑畧與調之除審此外皆須於雜證發熱條件內審辯之斯無誤矣

一除急慢驚風身體壯熱與耳輪鼻尖及手足稍俱冷忽發搐者是瘧搐等證各有正治條例玆不採備大約方治亦兼具篇内

敘次熱證條目

胎熱　驚熱　客忤熱　傷風熱　積熱附癖病

疳熱　潮熱附壯熱　傷寒熱　瘧熱　暑熱

丹熱　瘡疹熱　溫氣熱　餘毒熱　骨蒸熱

痰熱　實熱　虛熱

胎毒熱

一胎毒者緣兒在母腹積熱厚味三朝旬日之間常作呻吟又或吽哭身熱目赤胞腫二便赤黄急欲食乳時復驚煩雖錢氏嘗用浴體等法設於風寒時節欠謹或致感冒莫若宜用木通散天竺黄散牛蒡湯等煎與母服使傳化乳兒乳母更須戒忌鷄酒羊麵等熱物庶為穩便方見後篇若不受風莫若止用木通散方可也

若稍大小兒有風熱症可採用諸方

驚熱

一時間發熱過時即退來日依時發熱此欲發驚也地骨皮散主之

一驚熱即有風熱或感冒風寒類同傷寒熱症蓋驚風之熱遍身發熱面光或自汗心悸不寧脉數煩燥治法與急驚證同必先解表初或小兒受驚其驚不散留在上膈無得自化或作

熱毒攻在咽項之間蓋驚則氣散宜收調其氣驚則痰聚尤宜化痰又曰夜熱顛叫恍惚發作有時稍類潮熱緣小兒多熱熱甚生痰痰盛生驚驚盛生風風盛發搐又盛牙關緊急又張上竄痰涎壅塞絕入中脘手足攣拳是皆關節不通百脉凝滯有退熱而愈者有治驚而愈者有截風而愈者有化痰通關而愈者不可不究凡病在熱不可只治痰病在驚不可妄治風病在痰不可只治驚病在風不可只治搐如初病在驚驚由痰熱得只可退熱化痰其驚自止病在風風由驚作只可利驚化痰其風自散病在痰涎急須退熱化痰若也有搐須用截風散驚此醫家至妙之道也設若驚痰不化熱亦不退驚不能止若止化痰熱不兼祛風風亦不散痰亦不退大抵嬰兒得疾如火燎原撲之在微不致有延蔓之盛一若初覺受

驚傷風發熱等證便與踈解自無傳變之患醫者須詳辨此

一古人治驚俱兼痰藥必須先治其痰然後瀉火清神若痰壅塞胸膈不退則瀉火清神之藥無所施其功也二陳湯加竹瀝入少姜汁最穩痰重者滚痰丸白餅子利驚丸下之滚痰丸下熱痰白餅子利驚下痰積在上者宜吐之重則用藥輕則探吐之若不必吐下以二陳湯為主脾胃有熱痰加白朮黄連風痰稠結加南星貝母枳實胃虚生痰加白朮麥芽竹瀝各隨輕重緩急治之又有或因感冒吐瀉而發熱氣血虚為熱所迫見出驚症不可便服驚藥只調治吐瀉感冒 氣定熱退而驚自除矣錢氏治一七歲小兒潮熱數日欲愈忽謂其父曰七使潮熱將安八使可預防驚搐其父怒不之信錢曰過來日午間即無苦也次日午前果作急搐蓋預見其目直視而腮赤必肝心俱熱更坐石杌子乃款冷此熱症也肌膚素肥盛脉又急促故必驚搐所言午時者自寅至午皆心肝所用事時治之瀉心肝補腎三日而愈見預說驚症條

一小兒急驚風灸前頂一穴在百會前一寸若不愈須灸兩眉頭及人中一穴各三壯如小麥粒大

一小兒慢驚風灸尺澤穴各七壯在肘中橫紋上動脉中炷如小麥大

客忤熱

一客忤證小兒初生輙因生人入房觸冒異氣作熱宜輕劑稍稍解之清心安神可也此須明審曾經生人入內可與木通散除大黃滑石加姜炒黃連麥冬去心白伏苓生硃砂少許與兒服之可也

傷風熱

一傷風熱或汗出身熱呵欠面赤鼻塞聲重口中氣熱頭痛脚熱清涕咳嗽吐痰煩類傷寒證候輕者不藥候一二日自愈重者用藥輕輕和解此多肝熱也大抵風熱與驚熱須相無

調治若驚熱盛即風熱作大抵風熱散之驚熱涼之疳熱無補瀉之潮熱散之瘧熱分之積熱利之丹熱消之諸症後餘熱和解之傷風熱多同大人治法但須辨取有汗無汗陰陽二症宜輕劑解散開痰則愈詳見大人傷風篇論

積滯熱

一積熱蓋緣飲食積熱腹痛或虫痛致然其候手心熱噯氣吐乳頰赤口瘡下盛則腰腿瘂腫表實則身熱便澁虛則汗下後仍熱也或消或推一日若加脚冷當下之脚冷又或虛證不宜輕下若五心熱傷食證也肚背並熱合無考大人食積等篇中調之既有積症不能全實須量輕重故古有挨積磨積無下積之說不可直便遽下若虛極還先調理脾胃令其充實次與推下全在活法治之

一飲食鬱熱由中發外熱見肌表只理其中清陽明之熱而表熱自除不可誤認作外感輕易發汗用小柴胡少陽等藥重傷其内

一傷食而致潮熱往來此食鬱生火陽明之熱不宜發汗及下利若汗下則重虚矣宜用白术伏苓芍藥生甘草黄連滑石以除其内之熱葛根升麻石膏以除其表之熱但既傷食則脾胃虚矣須以補脾為主白术為君芍藥黄芪為臣佐以前清熱散火之藥仍須用麥芽陳皮以理胃氣或炙草之類以固胃氣寔温兼用不可純用寒凉也

一初病即口不知味者屬内傷惟米飲湯量與之米粒不可與食

一錢氏諸家亦有專條兹不備述

一腹中有癖發熱或喘嗽飲水驚痰嘔逆日中嗞煎夜則啼叫乍熱乍凉與潮熱相類由乳食不消伏結於中蓋由脾胃虛而發熱胃亡津液不能傳化水穀其脉沉細不早治必遂成疳一癖為潮熱錢氏治一三歲小兒面黃時發寒熱不歘食而飲水及乳不止衆醫以為潮熱用牛黃丸射香丸不愈及以止渴乾葛散服之反吐錢曰當下白餅子主之後補脾乃以消積丸磨之此癖也後果愈何以故不食但飲水者食伏脘内不能消致令發寒熱服止渴藥吐者藥衝脾故也下之即愈

疳熱

一疳者甘也疳因脾家有積體虛而致復食粘膩甘甜生冷炙煿等物滯而不化久則傳於五臟煩渴潮熱食不生肌骨蒸盜汗腹大咽細或翻食吐虫虛熱来去十歲已下名曰疳十歲以上名曰勞治之未必純用疳藥蓋疾作傳變非可定治或滋氣助血消虫散熱不可偏用冷熱須詳審斟酌調治可

矣瘀症惟錢氏論中最詳此專一病症也宜細考之今但以諸熱類分條例此不備述

潮熱附壯熱

一潮熱發作有期過時即退此多胃熱也或欲發驚或單熱或蕉實熱或作瘀或作勞或癥瘕食積痞癖虫積或肚痛脚冷正定來者易治亂日者難愈脉實者下之大柴胡湯虛浮數者微汗之如百解散之類若發熱而嘔者小柴胡湯主之

一身熱不飲水者熱在外身熱飲水者熱在內

熱症大法或踈利或解化不外二者而已病退後無虛證勿溫補一補熱即隨生踈利云者如寒涼輕重之劑酌量內治是也解化云者如辛涼辛溫之劑酌量表解是也

一潮熱于巳午未火之位心神驚悸目上視白睛赤色牙關緊口內涎手足動搖此心旺也當治心錢氏書一云自寅至午皆心肝所用事時治之

當瀉心肝

一潮熱于申酉戌位肺之不甚搐而喘目微視身體熱睡露睛手足冷大便淡黄水是肺旺也當補脾瀉心肺所謂補脾者恐母能令子虛故也然肺自作熱者居多未必皆母虛所致便須直瀉之可矣其或久病兼有脾虛食少之候者當從補治他倣此

一發熱于亥子丑時水土旺時不甚搐而卧不穩身體溫熱目睛緊斜視喉中有痰大便銀褐色乳食不消多睡少省當補脾凉心人之陰氣依胃而生脾土既虛陰火流上心火得挾上升之火為病滋甚使脾胃無傷病邪自伏試置火於土中自無炎灼之勢足見土亦能尅火也故補土凉心之義者此也然水土既旺之時而熱作者正陰火發生中乘脾土之時也

一壯熱一向熱而不止煩燥喘麄錢氏曰不已甚則發驚癇此多心經之熱也

一溫熱者脾熱也但溫而不熱也或有諸積等病亦多此症須詳辨之宜瀉黄散之類

論陰陽相勝

夫陰陽相勝蓋言五臟相勝之邪難經所謂有正經自病有五邪所傷此要義也故錢氏首發明之醫者往往昧此詳具篇內

錢氏論云肝病見秋　心病見冬　腎病見夏　肺病見春

脾病見四旁

且如肺病又見肝證咬牙多呵欠者易治肝虛不能勝肺也若目赤大叫哭項急頓悶者難治蓋肺病久則虛冷肝強實而反勝肺也視病之新久虛實虛則補母實則瀉子

如肝勝肺則肝病身熱搐搦又見肺虛喘而氣短病見於申酉戌時是肝真強也內經曰受所制而不能制謂之真強法當補脾肺而後瀉肝

肺勝肝則肺病喘咳氣盛見於寅卯辰時昧之　又以見肝怯

少方正為鬼賊所尅法當補肝瀉肺若肺病嗽久虛羸無實不得瀉肺只宜用地黄丸補之不可服瀉白散何謂也経云虛則補之實則瀉之

脾臟見四旁皆倣此推之

劉宗厚曰按五臟相勝病機不離五行生尅制化之理者蓋小兒初在襁褓未有七情六欲只是形體脆弱血氣未定腑臟精神未完所以有臟氣虛實勝乗之病但世俗不審此理往往遇此率指為外感内傷而用藥致枉死者多矣悲夫矧錢論脫落幸而潔古補之今特条附誠所謂無窮之利也

一潔古曰五臟子母虛實鬼賊微正若不達旨意不易得而入焉

假如心主熱自病或大熱瀉心湯主之實則煩熱黃連瀉心湯主之虛則驚悸主犀散主之

肺乘心微邪妻来乘夫為微邪此從所勝来者也阿膠散主之盖以心火本尅金令金来侵占於我心位是妻来乘我也他受制於我者故曰微邪

腎乘心賊邪夫乘妻曰賊邪此從所勝来者也盖以腎水本受克心火令水来侵我心位是夫乘妻位我本受制於他者故曰賊邪

肝乘心虛邪此從後来者為虛邪盖母能令子虛也　滑氏曰五行之道生我者休其氣虛也居吾之後而来為耶故曰虛邪劉宗厚曰母能令子虛者母引子之鬼賊至是母能令子虛也愚接母能令子虛者緣肝木生心火肝木病邪則不能通調於心是肝木之邪乘心因不觸通調於心而乘心故使心氣乏弱而腎水之邪得以侵心火木母之邪既以累子而引火子之鬼水乘勝侵心故曰母能令子虛也只木母之氣生我者休令居我之後来為邪其氣毋蓋既衰矣為害亦輕故曰虛邪雖然心受鬼魁又類賊邪但本原由於木邪所引其氣亦未為甚盛也非着竟直而来為賊邪者比也此宗享末盡之音也

脾乘心實邪

此從前来者為實邪盖子能令母實也

滑氏曰五行之道我生者相氣方實也居吾之前而来為邪故曰實邪劉宗厚曰子能令母實拒鬼賊不敢傷於母豈以土能制水使水之邪不能傷心母之火者乎又曰其子又引母所克者妻来相助故曰實邪夫子上也母火也母火所克者金也若謂子引母邪来相助是土挾金来為害豈金能為心之病乎夫所謂實邪者蓋亦直措火生之土者也且経所云從前来者為實邪實邪之義為病之氣者也又宗厚所云子土之邪引得母所克者相助意豈以土邪既旺而延之于金金本生水水得金挾来克心火此之謂實邪乎若此則是亦賊邪矣宗厚此義不可曉也愚意以子能令母實蓋心火母也脾土子也我生者相今以我火所生之土氣方旺者當我之前而来為邪其為害也益入盛矣土乘火位致有身熱泄瀉等作蓋泄瀉脾也身熱心也火土之邪共旺故曰子能令母實也至曰子引母所尅者妻来相助亦為實邪尚侯明哲以就正焉

本臟自病為正邪

法當虛則補之實則瀉之內經曰滋苗者必固其根伐下者必枯其上此特舉心之一藏以例其餘他臟倣此

劉氏曰凡心臟得病必先調其肝腎兩臟盖腎者心之鬼肝者火之母也故心病者先求乎肝清其源也五臟受病必傳其

所勝水能制火則腎之受邪必傳於心故先治其腎逐其邪也若診其脉肝腎俱和而心自生病然後察其心家之虛實而調治之斯得矣

凡肺之得病必先觀心脾二臟之虛實蓋心火克肺脾土生金子母鬼賊之義也診其脉二臟既和然後察其肺家之虛實而調治之

凡肝之得病必先察肺腎二臟之虛實令肝之得病非腎水之不能相生必肺金之鬼邪相制一攻其鬼一滋其根二臟脉和然後審其肝之虛實而調治之

凡脾之得病必先察其肝心之虛實而調治之義同前論

五行之間惟腎之一臟母勝而子反受邪肺腎是也肺主氣氣之輕浮能上而不能下腎主精精之沉重能下而不能上令

肺之盛蓋熱之作也氣得熱上蒸則不能下生腎水而腎生邪矣急食涼藥解之此腎病必先求諸肺是也或肺臟安和而腎忽然受病則當察其本臟而治之斯得矣夫五臟子母虛實鬼賊微正九治諸病皆當審辨今條例于此蓋以熱症為病薰蒸燔灼卒暴難堪猶宜辨認詳見難經四十九難及五十難中

一諸熱相似蓋壯熱昏睡傷風風熱瘡瘍傷食皆原相似未能辨認間服升麻葛根等湯惺惺散小柴胡之類蓋此藥可以通治不致誤也惟傷食則大便酸臭不消化畏食吐食等項別消導之或下之可也

傷寒熱

一傷寒熱節齋曰小兒八歲以下無傷寒原傷寒之病多於辛苦之人得之君子固密若童丱以前凡在陰下自能避密設有風寒外感只宜輕劑表散兼以降痰為主若感冒輕者勿

藥候二三日自愈非若仲景之法可例用也

一曾氏論云小兒感冒或得於秋冬或薄暮清朝盖秋冬多冷夜起便送或遶出風寒邪氣所侵旋即噴嚏凌振五指稍冷鼻流清涕閑紋不見面目俱紅慄而不舒氣麄體熱無汗悪寒是傷寒也或面色光而不慄汗出悪風是傷風也其方與大方料相去不遠但以小兒純陽之躰不宜過用熱劑設若傷寒傷風亦與大方審治若大熱身無汗麻黃湯主之以表實無汗榮血受邪而設也得汗則寒邪發散而無壅滯之患故凡治小兒大約不離驚風痰熱四症風則肝主之痰則脾受之脾若不壯則痰所由盛肝若不和則風所由縱又有痰者熱必隨之有驚者風必繼之利其驚則風自散散其熱則痰不生故痰之與風驚之與熱四症互持故凡治病之要猶宜臨機審療庶無誤矣攄此則凡小兒葦有傷寒者皆由父母不慎自作之蘖也可不謹哉

瘧熱

一瘧熱自有正治篇門茲為熱症條例故不備採　外有一種寒熱如瘧亦陰陽相勝也先寒而後熱者陽不足先熱而後寒者陰不足寒多而熱少陰勝陽也熱多而寒少陽勝陰也

寒熱相半陰陽交攻也

暑熱

一暑熱者煩燥引飲頭目昏重時正盛暑或曾感冒大約與大人同治法但多無飲食積滯內審視之

丹熱

一丹熱毒有數種皆五臟熱毒所作一曰皆心火內鬱而發自上發下曰毒自下發上曰丹又曰自腹生出四肢者易治自四肢生入腹者難愈摠名曰丹毒又有一種名曰龍帶橫腰過肚上至胞前相交者重有如火燔其候亦同丹治詳見省翁口議

此症自有所顯丹候醫者當從專條中治之

瘄疹熱

一瘄疹發熱須驗面赤足冷呵欠頭悶咳嗽肚疼或時作驚又

耳鼻尖冷與耳後紅筋詳見諸家大約以錢氏及丹溪序次升省翁為主至於陳氏偏門溫熱一或誤用為害非輕不可不審若果天時嚴寒瘡顯寒證亦有當用之時但瘡出寒證者必虛症常無有之丹溪格致餘論辯之審矣其間雖有虛證亦非陳氏之方所宜槩用也

一痘疹一證切宜謹避風寒此固然矣世俗不知避寒蚤之義往往過用重火薰蒸厚衣厚被包裹已甚以為攤麻卷痘之說誤亦甚矣疹雖不可過煖亦不可令過凉凡瘡疹之作但雖因其時令為之加減衣被適中可矣予每見其病家過為慎蜜多變鬱熱痰火等證致不救者有矣豈盡患者之不幸哉璞玉新書論治甚好亦宜並用

一利衣傷裏凡小兒發熱或防痘疹其升麻葛根等湯不可多

用設若過劑其表已解汗出不休裏虛多渴熱力有限送毒未盡漸作黑陷中道而廢者有之此乃助發太過失其自然之理至死莫知其由不可不慎

瘟氣熱

一瘟氣熱即是時氣温熱相襲薰蒸傳染而成治同大人篇論若潮熱不退未經痘疹者須預防之　外有温熱者但温而不熱此脾熱也此兼諸積食滯等症審視調之一如瀉黃散之類取用已上瘟熱主運氣言已下温熱從人事論

餘毒熱

一餘毒熱一應重病後與夫瘡疹諸積餘熱是也須各隨虛實調之虛實二字當於形氣病氣中審辨之詳見前大人熱症論中及後二條

骨蒸熱

一骨蒸熱身體虛羸遇晚發熱無寒此或氣血兩虛或陰虛癖塊癖症等後餘毒傳作各宜審察治之仍忌雞酒羊麵毒物

痰熱

一痰熱當同前大人篇調治但多無食積消詳之可也

一曰諸熱根初各有因對時發者是潮名乍来乍止為虛證晚作無寒是骨蒸

實熱

一實熱即氣脉壯實五臟六腑氣充大便硬小便閉短之類是也三焦之熱亦在實熱之中

虛熱

一虛熱反此觀之或啼哭煩燥或夜出虛汗或瀉利後虛熱不除凡此一應病後餘熱或仍有實熱未盡亦須審辨又一應病後困倦少力發熱無

時一日三五次者此客熱虛熱乘虛而作或陽邪干心經由真氣虛而邪氣勝或但溫而不熱或脾經虛熱故也曾氏以胃苓湯加黃芪末溫米清湯調下次揆錢氏白朮散或固真湯帶涼服及用溫盐參入涼水送下黑錫丹固守元氣

錢氏嘗治一子五歲忽發熱醫曰此心熱也腮赤而唇紅煩燥引飲遂用牛黃三服以一物瀉心湯下之不愈反加無力而不能食又下之便利黃沫錢曰心經虛而有留熱在內被涼藥下之致此虛勞之病也錢氏用白朮散生胃中津液後以生犀散治之朱曰大便黃沫如何曰胃氣正即瀉自止此虛熱也朱曰醫用瀉心湯如何錢曰此黃連一物耳其性寒多服則利衆醫至曰實熱錢曰虛熱若實熱何以瀉心湯下之不安又加面黃頰赤五心煩燥不食而飲引醫曰既虛熱何大便黃沫錢曰此服瀉心湯多故也錢後與胡黃連治愈

○此見虛實熱症條

○擾此等症錢氏以為虛熱者蓋以諸醫已多寒涼又見後來諸症故也學者須詳辨之

又治徐氏子三歲病潮熱每日西則發搐身微熱而目微斜及露晴四枚冷而喘大便微黃錢與李醫同治錢問曰病何搐李曰有風錢曰何身熱微溫李曰四肢所作錢曰何目斜晴露李曰搐則然錢曰何肢冷李曰冷外必內熱錢曰何喘李曰搐之甚也錢曰何以治之李曰清金丹鼻中灌之必搐止錢又問曰既謂風病溫壯熱曰搐引日斜露睛內熱肢冷反搐甚而喘弁以何藥治之李曰皆此藥也錢曰不然搐者肝

實也，故令搐。日西而身微熱者，肺潮熱用事，肺旺身溫且熱者，為肺虛。所以目微斜露睛者，肝肺相勝也。 正前五臟相勝之義。 支冷者，脾虛也。肺若虛甚，則脾亦弱，木氣乘脾，四肢即冷。治之當先用益黃散、阿膠散，得脾虛症退後，以瀉青丸、導赤散、涼驚丸治之，後九日愈。 見潮熱問難條。 愚謂此用涼藥不愈，而用溫劑以治熱病者，亦後篇朱氏子引淚虛熱症之意也。然錢氏既曰熱在內者引飲，則此大熱引飲者，其為實熱在內明矣。然以白朮散溫劑治之而愈者，豈非以此子發熱有時，非如前此所云壯熱等症一向不已者為例。又兒涼藥解之不愈，而喜睡困憊等候，其可以為實熱乎？醫者於此詳辨之可也。大意新病而見引飲等渴症者，還當作實熱看。如此子得於諸醫涼治不愈，為病稍久而引飲者，蓋津液內耗，當從虛熱論治是也。

錢氏治一九歲兒病肺熱，他醫以珠犀龍射生牛黃治之，一月不愈。其症喘嗽悶亂，不止，不能食。錢用皮君子丸、益黃散。張醫曰：本有熱，何以又行溫藥？醫用涼藥攻之，一月尚無効。錢曰：涼藥久則胃寒不能食，虛寒不能食，當補脾候飲食如故，即瀉肺，此自愈矣。服補脾二日，其子欲飲食，錢以瀉白散瀉肺，遂愈七分。張曰：何以不虛？錢曰：先實其脾，然後瀉肺，故不虛也。觀此則以正治熱，熱久不退，左當於虛症上辨之。

出溫冷用藥條。

又治一小兒五歲，夜發熱，曉即如故，衆醫有作傷寒者，有作潮熱者，以涼藥解之不愈，其候多涎而喜睡，他醫以銀褊丸下涎，病益甚，至五日大熱引飲。錢曰：不可下之，乃取白朮散末一兩煎藥汁三升使其任意取足服之朱曰飲多不作泄否錢曰無生水不能作泄縱泄不足怪也但不可下耳朱曰先治何病錢曰止泄治痰退熱清神皆此藥也至晚服盡錢曰更可服三升又煎白术散三升服盡病稍減第三日又服三升其子不渴無涎又投阿膠散二服而安見熱不可下條

泛論熱證治例

一氣分熱者每日巳午間發熱遇夜則凉此即所謂衛熱即氣熱營衛不順又氣血不相參虛之故也血熱者夜則發熱晝則明了蓋晝陽而夜陰也又或遍躰生瘡瘍疥搔痒發丹之類此即所謂營熱即血熱也俱於虛實上辨治之大抵暴病多實久病無虛

一小兒熱證用表裏藥後其熱俱退或既退復熱者何也療病至此難以槩舉或再解表攻裏或再施凉劑熱見愈甚以陰陽辨之何者為是推其原乃表裏俱虛而陽浮於外陰伏於

内所以發熱宜用温平之藥和其裏則躰熱自除按錢氏白术散去木香或加扁豆水煎及黄芪六一湯安神散自然平復若曰久汗多煩渴食減脉微緩喜飲熱可服真武湯雖附子性温取其收斂陽氣内有芍藥性寒寒温相輔無不驗矣此可與上虚熱證治相兼看　又曰小兒表裏俱熱或清凉踈利之後而復熱者此裏已消而表未解也或用如惺惺散輩少加去節麻黄以取微汗則表裏盡除其或表裏已解而熱又時来此則表裏俱虚陽不歸元而陽浮於外不可再用凉藥解表當為和其胃氣使陽斂而歸内身躰自凉如參苓白术散姜棗煎服之類可也此與上文互相發明

一小兒熱證大率肝與脾病居多心病熱亦多肝只是有餘脾只傷食又大約肝熱目赤腫痛眵淚羞明或筋脉拘急有夾風痰

一脾熱口苦昏困喜睡或食熱毒致然肺病鼻塞聲重他如傷暑煩熱引飲頭目昏重時正盛暑着感冒與夫癇熱瘈瘲不省人事略作搐掣又煩熱啼之不已躁熱哭之不已皆由三焦心經蘊熱所致又三焦蘊熱上攻咽喉之外名胙腮熱氣血凝滯經絡不行熱毒攻注故生瘡癤者皆須消詳治之

一小兒外感內傷着有潮作寒熱等症並同少陽治之男女同候又凡不論男婦小兒閨女或作大熱或變成勞脉有浮中沉之不同故藥有表裏和之不一察其在氣在血定其行陰行陽使大小不失其宜輕重各得其所逆從緩急舉無不當則可以萬全矣此少陽一治不可不知也

一退熱作渴凡熱在三焦方渴肺經不利虛實煩燥亦渴上盛下虛水火不濟亦渴一切蘊熱津液燥竭亦渴着熱止在表

重攻其裏表亦致虛多能作渴或引飲入脾頭面手足俱成浮腫濕熱之証作矣此凡治熱証者輕重表裏斟量之難醫當識此

一大人小兒諸熱之作不必一一臟腑興衰變動相乘但凡內外諸邪所傷皆能為病只五臟相勝一証時而有之人多不察致誤治者不可不慎於審辨又諸熱大法只一瀉實補虛除邪養正斯為得矣

醫畧正誤類編小兒熱證論治卷之中終

敘醫畧正誤刻後

余內姻石泉醫畧正誤就梓方伯東谷敘弁其端推行引觸遠大不泥盡之矣廼謬屬敘諸末余復何言哉因次第其心學淵源以備觀覽之自石泉自少入郡膠彈力學易出入諸子史百家坐是遘疾奉厥甫東郊翁命就醫時東陽盧㲄菴以茲術鳴寧藩禮致在館一見石泉奇其神異遂傾心焉未踰年疾瘳盡得其肯綮妙辭歸㲄菴歎曰吾業有傳吾可以休竟請去得脫黨禍人咸嘉㲄菴先幾石泉得師自是本業優

研極素難諸書有心得處筆之見偏門病病者失處筆之與已之應病候寒暑按經絡驗處又筆之參訂指摘診脉之誤積撰成書分條別方題曰醫畧正誤識者宗之每暇坐小樓輙取古詩畫玩適興到模倣揮灑體格成家題品景象韻格高古縉紳士謂其詩中有畫畫中有詩得之如獲拱璧匪獨醫之可稱然耳比于今充選貢致用東谷曰子是之編可傳製序以贊其成刻予閲之嘆曰昔人言不得為宰相則當為良醫竊疑醫之於相恐不若是班不過謂醫國者

安危以之醫人者死生以之國脉人命至重且大陰隲利濟功實相埒石泉是編信諸父兄師友信諸古而無誤於已者不亦可信諸人而無誤天下者乎視專門秘方者不侔行將徵諸内院使司局者果能如東谷所謂變而通之毋忌與執未必不爲諸偏門斷案也至圖畫已成宋諸儒像刻弁以平日所經意者質諸内翰又未必不齒諸名家而起三絶賞鑒者也雖然此皆石泉緒餘耳若夫流於既溢發於持滿懦然見可之行則有明經久大德業可以信諸不世者

在銘勒彝鼎亦分内事兹刻云乎哉石泉懋之

奉政大夫直隸順德府同知致仕前通判奉

勑進階承德郎里媦聶璜書于澉溪別業